アートが変える社会と経済

AI、NFT、メタバース時代のビジネスと投資の未来

倉田陽一郎
KURATA YOICHIRO

HOW ART CHANGES
SOCIETY AND ECONOMY

THE FUTURE OF
BUSINESS AND INVESTMENT
IN THE AGE OF
AI, NFT, AND METAVERSE

ネクスト・カルチャー・メディア

はじめに

はじめまして。シンワワイズホールディングスの倉田陽一郎です。

本書は、アートと経済の交差点で起こる新しい潮流を解説しようと試みた一冊です。

アートが世界で資産価値としての存在感を増し、デジタルアートが出現する現代において、メタバースやＮＦＴというキーワードも方々で語られています。

私はこれを「資産の分散化」と「個人がアーティストとして活動するための文化土壌の形成」と考えています。

本書では、

・これからのアートがどう発展していくのか

・アートと経済が交わる地点で、その価値や値付けはどう変わっていくのか
・これから到来するシェアリング・エコノミーにアートがどう影響を受け、経済にどう影響を与えていくのか

といったことを書いてみました。

私は長年、アートの世界に身を置き、アートの価値とそれにまつわるお金の動きを目の当たりにしてきました。元々、学生時代からアートを趣味としており、美術サークルに所属し作品制作もしていました。そして、卒業後は金融の仕事をするかたわら、銀座の画廊や美術館巡りを頻繁に行っていました。当時から銀座の画廊主の皆さんからは、〝アートに興味を持つ若い外資系金融マン〟として面白がられ、いろいろと面倒を見てもらった記憶があります。

とくに、当時のシンワアートオークションを創業したメンバーの皆さんからは、アート取引の多くについて学びました。そのような中でお世話になっていた5人の画商さんたちから、オークション会社を作るという話を聞いたときには心が躍ったことをよく覚えています。そ

して、1990年に初めてシンワアートオークションを東京の帝国ホテルで開催したとき、有名な日本のアーティストの日本画や洋画が、次々と1億円を超えて取引されていきました。その様を目の当たりにして目を輝かせていたことを鮮明に思い出します。

そして30歳で外資系金融機関を卒業し、自分で投資顧問会社を作り、独立しました。時代はバブル崩壊の1990年代。私は国際金融の専門家ということで、緊急措置として開設された金融再生委員会に呼ばれました。そこで金融担当大臣の秘書官として、政府側の立場から日本の金融再生の仕事に従事することになります。わずか8か月間の国家公務員生活でしたが、日本の金融再生に取り組み、充実感がありました。

その後、自らの投資顧問会社に復帰したときに、シンワアートオークションが当社の顧客となることで、アートの仕事に近接していく機会を得ました。その頃はまだ小さな会社でしたが、それでも日本で一番のオークション会社でした。世界にはクリスティーズやサザビーズという巨大オークションハウスがあるのに、当時、世界第二位の経済大国の日本にはなぜか大きなオークションハウスがありませんでした。いつか必ず日本に大きなオークションハウスが誕生する、そしてシンワアートオークションがその母体のいちばんの近道になるはずだと考えていました。

そんな日本発の巨大オークションハウス構想を5人の画商に話したとき、「そんな大変な仕事はお前がやれ」と言われたことをきっかけに、2001年にシンワアートオークションの代表取締役社長を引き受けることになりました。

そこから破竹の勢いで、2005年に株式を公開することができました。しかし、日本はバブル崩壊から国の政策としてアンチインフレを提唱し、長いデフレの中で経済が慢性的に収縮していきます。そしてシンワアートオークションが上場を果たした3年後にはリーマンショックが起こります。

日本のデフレは深く進行し、アベノミクスでインフレ政策を標榜しても、日本は構造的なデフレ経済から脱却することはありませんでした。

本書が目指すところ——現代アートが語る未来社会の到来

近代資本主義が行き着く先で、私たちの生活は便利になり、企業は利益を蓄えて豊かになってきました。その反面、大量廃棄やゴミによる環境汚染が進んで、人類の存続まで脅かす状態になっています。

世界のアーティストたちもアート作品を作ることで、この状況を伝え始めています。そして世界を暴力ではなく、平和の中で変えていこうとする動きが起こっています。

現状の仕組みのままで資本主義が続くと、加速度的に大量生産、大量消費、大量廃棄が進み、急激に地球が壊れていくことでしょう。人類が自分の首を絞めていくスピードを早めているのに、それを止めることができない状態に陥っているのです。

そのような中、アンディ・ウォーホルがアメリカの大量消費社会を象徴するアート作品を世の中に出して、近代資本主義のアイコン的な存在となりました。そして若き晩年に、ストリートで落書きをするジャン・ミシェル・バスキアと盟友となり、共同で作品を制作しました。

また、お金にまみれた資本主義社会の矛盾の中で、アーティストたちは幸福感を持てず、精神が蝕まれていきます。20世紀の半ばから日本で生まれた「具体美術運動」[1]というアートのトレンドが世界に広まり、近代社会の中での物質的、精神的矛盾を作品を通してえぐり出していきます。１９８０年代には、日本でもミニマルな思想に美を求めるアートを提唱するアーティストも誕生しました。

最近、若者たちの間で意識の変化が起こっています。この先も地球で酸素を吸って生きていける社会を維持していくためには、物欲にまみれて、モノを買って消費するというライフスタイルから脱却し、モノを所有せず、シェアしながらリサイクルする。そして、インターネットを利用して充実したコミュニティライフを謳歌する生き方を選択する人たちが増えてきています。

そこに現れたのがサトシ・ナカモトという、日本人の名前を持つ正体不明の人物でした。インターネットとＳＮＳが発達した現代社会でその情報網を利用し、誰かを介在することなく、一対一の物々交換ができる仕組みの原形であるビットコインのプロトコルという新しい商品取引の形を人類に提唱したのです。

そして２００９年のジェネシスブロックによって、ビットコインのブロックチェーンが生まれてから14年の月日が経った今、これに共感した世界中の若者たちは、この仕組みを利用して新しい社会のインフラを構築することに目を輝かせています。

巨大な資本のもとで構築されたシステムにより、クレジットカード会社の決済を通して私たちのプライバシー情報がコントロールされ、消費を焚きつけるという現代の仕組みは、Ｗｅｂ２・０と言われる在り方を象徴しています。それに対してサトシ・ナカモトが提唱した新しい仕組みは、これまでのＷｅｂ２・０の仕組みをインターネットを通して根底から覆し、Ｗｅｂ３という人類が持続可能な社会を作るインフラ構築の可能性を垣間見せてくれています。

私自身も２０１７年にこのプロトコルに触れて衝撃を受け、世界観が一変しました。それ以降、新たな資本主義とアートの可能性について追求しています。

Ｗｅｂ３の世界では、誰の仲介もなく、個人個人のウォレットを直接ショップとつないで、物々交換が簡単にできます。そして所有するのではなく、モノをシェアすることが簡単にできるインフラを提供してくれます。これまでのインフラで必要とされてきたさまざまな無駄なプロセスもいらなくなり、個人がより自由に使える時間が増えることになります。

そして今、人類は地球と向き合って持続的な社会を形成するために、Ｗｅｂ３とリンクしたメタバースの構築を加速させています。

一体、これからどんな社会が現われて来るのでしょうか。そうした変遷の途上において、本書は今起こりつつある経済の仕組みの変化を、ＮＦＴアートを含めた現在のコンテンポラリーアートの潮流とともに紐解き、近い将来に起こりうる新たな資本主義の可能性を予見する書となっています。

２０２３年5月

倉田陽一郎

1

具体美術運動／1954年に抽象画家であり実業家である吉原治良を筆頭に結成された「具体美術協会」による運動。物質と人間との直接的な関係を美術によって表現することを目的とし、既存ではない新しいアートを創り出すための活動を繰り広げた。

第2章 アートの価値と価格はこう変わる

第3章 アートが変えていく、経済の未来

第4章 アートの未来

第５章 資本主義の変革途上の中で注目すべきアーティストたち

第1章

これからのアートの潮流は、こう変わる

ついに始まった「新しい経済」への動き

アートとは、技術発展の系譜である

これから、「アート」という概念が大きく変わることが想像されます。それは、18世紀から始まった近代資本主義が成熟し、疲弊してきた現代の中で生まれるアートが、世界に大きな役割を果たす可能性が高いからです。

私は、金融畑からアートの世界へ転身したからこそ、資本主義経済におけるアートの機能の変遷を肌で感じることができました。

そういった中で、アートが与える影響が社会にとっても極めて大きな変化となることを最近、感じています。おそらく、生活において「アートなんて関係ない」と思っている人の人生観や仕事にも、大きな影響をもたらすことでしょう。インスタグラムが人々の写真に対する感性を高め、特別な技術を持たなくても、誰もが高度なカメラ撮影ができるようになった今、アートが人々にもたらす影響を考えていくと、これから起こりうる経済や生活の変化に対する予測もできるでしょう。

そこで最初に、読者の皆さんに考えていただきたいのは、「そもそも、アートとは何か？」という問いです。そしてなぜ「アートは時代を象徴する鏡である」と言えるのかを説明していきましょう。

一般的に、アートを単なる〝美術作品〟ととらえてしまうと、その本質を大きく見失ってしまいます。ではアートが意味するものとは一体、何なのでしょうか。

まず英語のアート、つまり「art」は「人間がつくったもの」を表します。そのため「artficial」は「人工的な」という解釈となり、「art of life」という言葉は「生き方」とか「生活様式」という解釈となります。それに対して、「art」の反対語は「nature」になり、「自然」や「人間が介在しないもの」という解釈になります。

ですから基本的にアートというのは、学問や技術であろうと、そして建築物や工業製品であろうと、人間がつくったものすべてを「アート」と総称することができます。

ただ、人間がつくり上げたもので、歴史を通じ、私たちがその価値を高く評価しているものがあります。それらの中で「最高のアート」と言えるものを「芸術」と呼び、市場で高額取引されるアート作品となっています。

優れたアート作品というのは、単に「皆が美しいと言っている」ということ以外に、人間が生み出してきた「技術発展の系譜」とも言えます。

たとえば、レオナルド・ダ・ヴィンチ[1]です。彼が描いた『モナリザ』は、14～16世紀のルネサンス期を代表するアートです。そこで生み出された技法が「遠近法」でした。

これは「平面」でとらえるしかなかった絵画を、「立体」で表現することを可能にしたものです。物理的に計算し、あえて暗影を作り出すことで、人がリアルに見ている世界を絵画として正確に表現する試みでした。

このように「世界を正確に表現する」という動きは、やがて光と影を利用した「写実主義」というアートを生みます。しかし、〝単に正確に描かれた絵画〟というのは、人々が多くのアート作品に触れるにしたがって飽きられていきます。

そして今度は〝目に見える世界〟を超えた〝心の中の世界〟を表現しようと、「印象派」と呼ばれるジャンルのアートが出てくるわけです。それは18世紀後半に産業革命[2]が起こり、「市民」という身分制社会を超えた階級が力を持っていく時代と重なっていました。

このように、アートを通じて、人類が生み出してきた「時代の象徴」を感じ取ることができるのです。

アートを通じて見えてくる「資本主義の縮図」

18世紀の産業革命によって生まれたのは「資本主義」です。

資本主義とは、資本の力で技術革新を誘導し、競争力のある企業経営によって高度で便利なインフラを提供することで、利潤を追求していくものです。良い意味でも悪い意味でも、最後は「お金を持った人間が勝利する」という世界になりました。つまり、富を持った人間が権力を持ち、富を蓄積した国の国民が幸福になるという図式です。

むろん、「お金が中心で回る世の中」になったことで、別種の社会格差や争いを生んだことも確かです。しかしイギリスやフランス、のちにはアメリカも企業に利潤を追求させ、国家を富ますことで世界を次々と席巻してきました。

それが19世紀から20世紀に至る資本主義の世界です。それと同時に、アートもこうした世の中の変化に大きな影響を受けていきます。

たとえば、20世紀を象徴するアーティストに、ポップアートの世界で活躍したアンディ・ウォーホル[3]がいました。その作風はまさに大量生産、大量消費の様を描いた作品です。彼の作品は印刷物として広告やレコードジャケットなどの媒体に載り、多くの人間の目に留まることになったわけです。一方、大量消費、大量廃棄が当たり前になった世界で、価値の衰えないアート作品は、富の象徴として投資の対象にもなっていきました。

20世紀になり、資本主義が定着すると、人は各国が発行する「法定通貨」に依存するようになりました。ドル、ポンド、そして円というものが、それに当たります。しかし、富を所有する人ほど、法定通貨の価値が頼りないものであることをよくわかっています。19世紀から20世紀は戦争の時代であり、多くの通貨が大暴落していく事態が、歴史上で何度も起こってきたわけです。

振り返ってみると、同じ紙幣が300年以上利用されたことが歴史上あったでしょうか。実際、紙に印刷したものは必ず消えてなくなります。

法定通貨に価値があるのはその国の信頼の裏返しです。そうであるためにも、国家より信頼できるもの、何があっても価値が落ちないものが必要でした。それが金やダイヤモンドなどの劣化しない普遍の貴金属や宝石です。そしてそれらと同様の価値を持つものこそ、これまで人類の偉大な作家たちがつくり上げてきたアート作品だったのです。

世界の富豪たちは資産形成のため、こぞって価値の高いアート作品を求めるようになりました。結果、アート作品の値段は高騰し、１枚の絵に２００億円もの価値がつくようなことが起こってきます。実際、アートへの投資は、資本主義の権化のような人々が最終的にお金を出すところとしても理想的でした。

想像してみてください。
事業に成功し、なんでもお金で手に入れることができる人々が、最終的に何が欲しくなるのか？

彼らはお金をふんだんに使い、家を買い、貴金属や時計を買い、高級車やら別荘、クルーザーやらプライベートジェットなど、あらゆるものを手にしていく勢いがあります。パーティーを何度も開催し、取り巻きの人々をはべらせて、お金でどうにでもできる人間関係を作り上げたりもします。
でも、それでは心が満たされない。金持ちだろうが貧乏人だろうが、誰にでも限られた時間しか与えられていません。

そこで最終的にお金の使いどころは、精神的な豊かさが得られそうなところに至ります。慈善活動などもその一つでしょうが、アート作品の収集も、人生を通じて成し遂げられることの一つになってくるのです。

実際、1人のお金持ちが収集したアート作品を所蔵した美術館は、日本にも数多くあります。山種美術館や松岡美術館はその代表例でしょう。あるいは一企業の社長として成功した人物が会社の資産として残したところとして、横浜の三溪園など各地の建造物を収集した庭園もあります。

海外でもそれは同じで、メトロポリタン美術館ですら、そうしたものの一つです。所蔵品を公開することで社会の役に立つということが、富を得た者の名を後世にまで残す方法になっていることは事実です。

ついに始まった「新しい経済」への動き

資本主義の時代になり、アートは富裕層の資産となっていきました。アートを理解する人に貧富の差はありません。しかし、高額で取引されるアートは資産となり、時に投資の対象となります。アーティストは純粋にアートを作り続けることに情熱を持っていますが、作品自身の価値とその金銭的価値が、必ずしも直結するものではありません。

たとえばバンクシー[4]という〝グラフィティ（落書き）〟のアーティストがいます。資本主義経済が行き着いた結果として、彼の絵に10億円を超える値段がついたりしていますが、それでも作品は〝落書き〟に過ぎません。

しかしニューヨークの摩天楼などに住む大金持ちが、バンクシーがウクライナの戦場にある廃墟になった建物の壁に描いた落書きを、何億ものお金を出して取引する。つまり、彼のアート活動そのものが、現代の資本主義社会に対する一種の反発のような作品になっています。


バンクシーが描く絵の背景には、20世紀後半くらいから起こり始めてきた、資本主義経済の限界への問題提起があります。

それというのも、大量生産・大量消費の世界は結局、大量廃棄の繰り返しとなるからです。朝起きて、飯を食べて、さまざまな活動をして、ゴミ出す。次の日の朝も起きて、飯を食べて、ゴミを出して、排泄物を出す。そうして人類は地球にさまざまな廃棄物を生み出します。それが地球環境を悪化させる結果となり、私たち自身が「この地球は果たしてもつのだろうか」という深刻な環境問題に直面することになったのです。

すでに大気汚染や海洋汚染など、地球を破壊しかねない資本主義の影響は、とくに20世紀末から言われるようになりました。ご存じのように、ついに地球温暖化が深刻化した世界ではSDGs[5]のようなことが盛んに言われ、なんとか持続可能な社会を作ろうという世界的な動きも始まっています。

しかし、資本主義と環境保護は、そもそも根本的に矛盾します。「環境を保護したい」というなら、本当は生産を制限して、消費を減らすことが最も効果的でしょう。

いくらゴミを抑えるような商品開発をしたところで、それによって経済が繁栄し、消費が増えていけば、ゴミの量は相対的に変わらないことになります。だから、資本主義は何年も前から環境保護を指摘しながらも、結局は、発展途上国の環境を破壊し続けたという現実があるわけです。

ということは、今の形で資本主義を続けるなら、人類は滅びることになりかねない。そうしたメッセージに、資本主義の手先になってしまっていたアートの世界から反発が起こったのです。そして90年代以降、さまざまな形で現代の資本主義に警告を発する作品が生まれ始めます。

旧経済の富裕層は“物欲”、新経済のＺ世代などは“心の欲求”

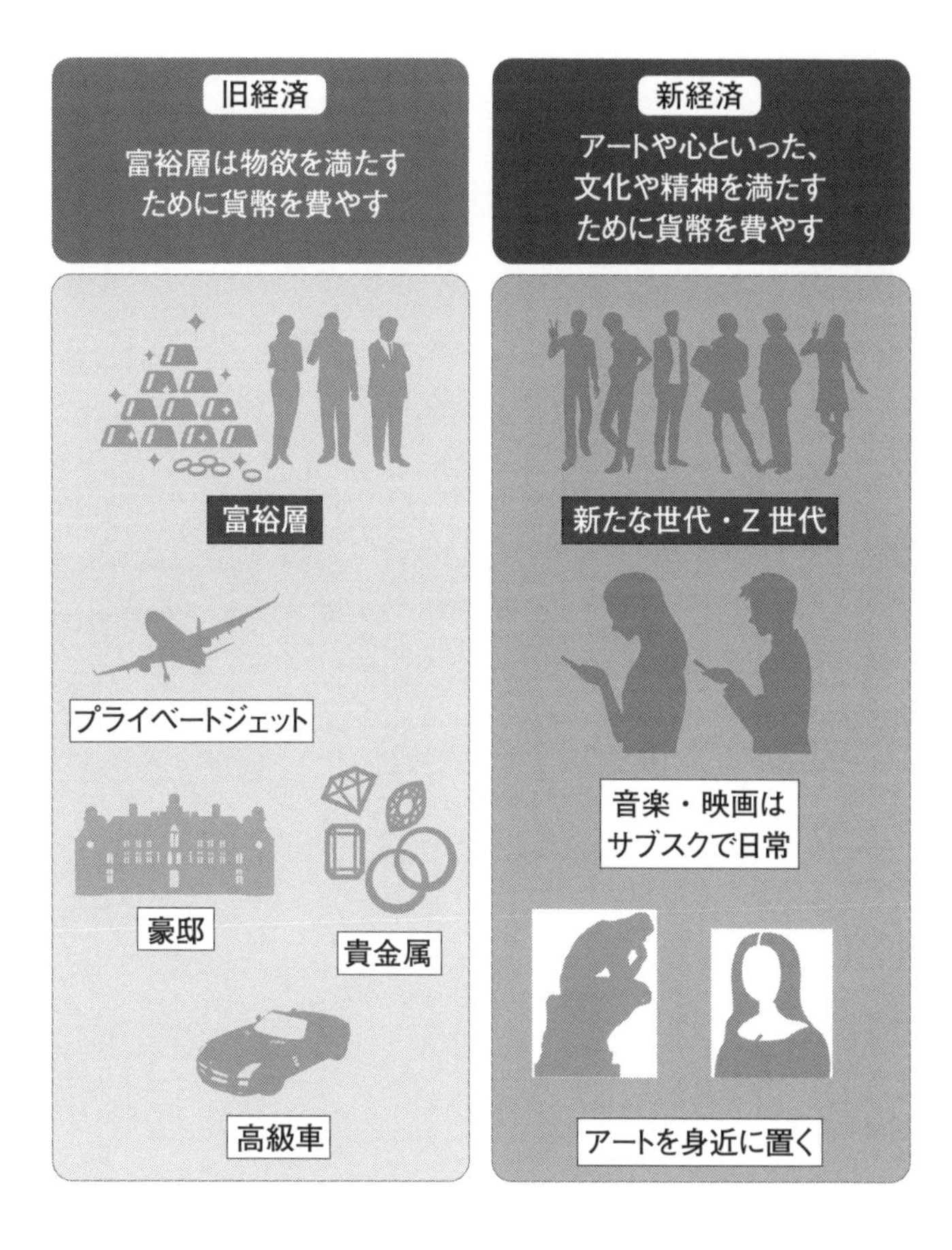

そんな流れの中で、先のバンクシーは2021年3月に、自身の作品の原画を燃やしてしまうパフォーマンスをツイッターで発信して話題になりました。代わりに彼は、その作品をデジタルデータでオークションに出品することにしたのです。しかも「NFT」という、コピー不可能の技術を利用して。

これが環境の負荷が小さい、アートや経済の新しい流れになる動きです。本書でこれから述べる「メタバース」[6]や「Web3」につながる技術革新とともに、今、資本主義は間違いなく、新しい未来に向けて動き始めています。

アートが予言する未来社会

アーティストたちは、私たちが知ることのない資本主義の未来を、時に予言し、時に警鐘を鳴らしながら、アート作品を世に打ち出しています。

たとえば、ニューヨーク在住で、世界的なコンテンポラリーアーティストのヴィック・ムニーズ[7]が有名です。故郷であるブラジルの世界最大のゴミ処理場で、社会に見放され生きている若者たちとゴミからアートをクリエイトし、希望を与えています。世界中の人たちを感動させたアートは、その根底にある現代の資本主義の限界と問題点をえぐり出し、アートという一つのソリューションを提示しています。

また、日本人アーティストでも、長坂真護[8]が世界からガーナに集まる電子産業ごみの中で生きている人たちを見て、そのゴミをアート作品に変えて、ゴミを作り出した先進国でその作品を販売し、作品を通じて新たな資本主義への移行を提唱しています。

さらに、いちばんわかりやすいのは、商業主義的な活動ではありますが、広義においてのアートとして、映画や映像の作品も時に未来を予言しています。１９８０年代に『ターミネーター』[9]という映画がありました。地球を破壊し続けた人類に代わり、ＡＩが支配するようになった未来を想定した話です。アーノルド・シュワルツェネッガーが演じた主人公は、未来の世界から来た人類を模したロボットという設定でした。

また、90年代には、『マトリックス』[10]という映画で、同じようにＡＩが支配する未来世界が描かれています。あとでも述べますが、ここで登場する人間の意識をつなげている仮想空間こそ、昨今話題の「メタバース」に通ずると私は考えています。

いずれにしろ映画でイメージされたのは、地球を破壊しかねない人間に代わり、AIが支配するようになった世界でした。人間は機械に装着され、ほとんど眠った状態で、動力源となるエネルギーとして活用されながら、メタバース空間をあたかも現実世界のように錯覚して生かされています。

振り返れば、80年代から90年代の映画で描かれる資本主義後の世界は、環境を破壊してきた人間に対し、テクノロジーが意思をもって、人間に取って代わるようなネガティブなイメージが多かったです。それにはテクノロジーの進化が人間の想像力についていかず、未来の技術への不安があったことも事実でしょう。

しかし技術の発展が私たちの生活に身近なものとなってくると、状況は変わってきます。たとえば80年代から90年代の映画を観れば、ビデオコールやテレビ電話のようなものがよく描かれています。象徴的なのは、腕時計のようなものをパカっと開けると、向こう側の通話者の顔が写し出されて会話できるような機器です。現代でも同じようなものがiPhoneを中心としたスマホで実現しました。

映画に追いついたテクノロジーの進化が未来を変える

そして90年代からスティーブ・ジョブズ[11]らが成し遂げたテクノロジーの進化は、私たちの未来に対するイメージを大きく変えます。と同時に、アートに対する考え方にも革命を起こしました。なにせ、iPhoneが誕生し、「スマホ」という機器が当たり前になってから、「写実」というものの価値がそれほど意味のあるものではなくなってしまいました。

現象をわかりやすく描くこと、その現象を写真で伝えること。今までプロにしかできなかったことが、普段持っているスマホで、誰にでも簡単に、即時にできてしまいます。それならば、私たちが見えるものを表現するために、もはや「アート」という概念は必要ありません。

実際、テレビ局のプロが制作した番組よりも、素人がスマホで撮った動画のほうに視聴者が群がるようなことは、いくらでも起こっています。絵画の世界でも、画像や動画の世界でも、アートはどのように生き残っていくかを模索しなければいけない時代になってきたのです。それでも、バンクシーの〝落書き〟が象徴するように、私たちは世の中を変えてくれる刺激的な「アート」を常に求めています。

だからこそ「ＮＦＴ」や「メタバース」、そして「Ｗｅｂ３」への期待は、アートの世界にとってても必然であったと言えます。

仮想通貨が行き過ぎた資本主義経済を破壊する⁉

現在のアートの話をする前に、行き過ぎた資本主義を打開しようという動きがテクノロジーの世界から起こり始めていますので、まずはそちらからご紹介しましょう。

そもそも資本主義は「お金を支配する者が、人を支配する世界」です。

私たちは何の疑いもなくお金を銀行に預けますが、その銀行は法定通貨を発行する中央銀行に管理されています。だから国や銀行の思惑次第で、いくらでも私たちは経済的な自由を奪われてしまうわけです。それは国家だけの話ではありません。銀行にお金を預け、クレジットカードで買うたびに金融会社に借金をし、いわば債務を背負っています。それによって手数料を常に払い続けなければならないし、どこで何を買っているかも監視され続けています。国家や企業の思惑のままに、いつのまにか私たちは従わざるを得なくなっているのです。

この危険性を疑っている人は、ほとんど世の中にいないかもしれません。しかし現在の私たちは知らず知らずのうちに過剰な資本主義に加担し、「ＳＤＧｓだ」「環境保護だ」と口では唱えても、結局のところは国家や大企業の選択に任せるしかない。この世の中では、既得権のある人たちが経済をコントロールし、消費を管理し、私たちはゴミを排出し続けさせられているのです。

サトシ・ナカモトがもたらした変化とは

そんな時代になっていた２００８年の10月末、正体不明のサトシ・ナカモト[12]という人物がネット上に発表したのが「Bitcoin: A Peer-to-Peer Electronic Cash System」と呼ばれる論文（ホワイトペーパー）です。「サトシ・ナカモト」というと日本人を想像しますが、論文は英語で書かれ、いまだその正体はわかっていません。そしてそのホワイトペーパーはたった9ページの短い論文だったのですが、そこには国家や金融機関が管理する法定通貨の壁を破る技術が記されていました。これが「ブロックチェーン」という技術です。

ブロックチェーンとは、簡単に説明すれば、ネットワークに接続されたさまざまなデータ内にブロックを作り、そのブロックの中にトランザクションと呼ばれる「取引の記録」を貼り付けます。その記録をマイニング[13]やステーキング[14]という技術で認証することによって、記録を蓄積していきます。そしてブロックの容量が一杯になれば、新たなブロックを形成して記録を積み上げていくというものです。日本語では「分散型台帳技術」と呼ばれます。

こうして作られていくブロックチェーンは、いったん認証され記録されると、あとから書き換えることができません。そのブロックチェーンは、特定のサーバーにではなく、世界中にある数多くの端末と共有されます。そのため、記録を消すこともできません。また、インターネットにつながっている人たちすべてが、そのあらゆる取引を検索して見ることができます。つまり、誰か特定の企業や個人による管理ではなく、すべての取引記録が世界中のさまざまな端末に分散され、フルノード[15]と呼ばれる端末に保有されることで、「すべての人たちが共有している」という状態になっているのです。

これまでの資本主義におけるデータの管理システムは中央集権型の管理と呼ばれ、管理する主体が存在します。そしてそこには膨大なコストとマンパワーが必要となります。一方でブロックチェーンは、ブロックチェーンそのものが取引記録であるため、管理する主体がなく、分散化された形で管理されています。それこそが、人類が国家や銀行に支配されない新しい通貨保全の形であると私は考えています。また、このブロックチェーンをベースとした新たな資本主義の構築こそ、自らの意思で生きることを追求できるようになる人間そのものの在り方であり、人間社会の進化のプロセスだと、技術者たちは考えています。

アートを甦らせたい。その思いでブロックチェーンに没頭する

私は2017年にビッコインを皮切りに、ブロックチェーンの世界と本格的に関わるようになりました。

その当時、ビットコインはマイニング報酬[16]にかかる半減期[17]が近づき、さまざまな思惑の中で、ある種のブームとなっていました。1ビットコインで5万円から10万円くらいの価値が

ついていた時期です。今でもそういうところはあるのですが、暗号資産に興味を持つのは、投機的な思惑から「持っていれば儲かるかもしれない」という動機による人が、多数派であったのかもしれません。

しかし、ビットコインの本質を知り、その取引の記録方法にかかる技術とその将来の可能性を追求すればするほど、このビットコインを支える「P2P」[18]といわれるブロックチェーンの技術は、世界そのものを変える可能性を持っていることを確信しました。そして、私はプライベートな会社を創業したり、自らブロックチェーンのエンジニア養成学校に通うなどして、その技術を本格的に学び始めました。

資本主義の世界では、結局のところアートですら消耗品となってしまいます。大量のアートが生まれ、その一部は高額で取引されながらも、大金持ちの資産となっていく。本来、アートは人類すべての資産であるにもかかわらず、誰の目にも止まらずに、一部の大金持ちの倉庫に眠っていることもよくあります。

しかしオークション会社は、そんなアートを甦らせ、本当にそれを欲する人のところに適正な価格で届けることができます。そういう意味で、オークション事業は高級品をリサイクルする会社であり、この世の中に生まれた一つのアートを持続可能なものにする、ＳＤＧｓ

の試みでもあると言えます。

ただ、アートもモノである以上、未来永劫に残るわけではありません。しかしブロックチェーンであれば、アートをデジタル上で永久に残すことができるのです。

なぜNFTはアートにとって魅力的なのか？

ＮＦＴとは「ノンファンジブル・トークン」の頭文字をとった言葉で、「何ものにも代替することができない」ということです。「トークン[19]」は「ブロックチェーン上に保存されたデータ」を意味します。ですから、ＮＦＴは日本語では非代替性トークンと呼ばれ、世界に唯一無二のトークンのことを指します。

トークンは、現実の世界でアートや宝飾品などと同様の動産にあたります。それゆえ、ビットコインなどの通貨と同様の価値基準にはなりません。ＮＦＴは、ＮＦＴそのものに固有の価値を持たせています。それゆえ、ＮＦＴは、ブロックチェーン技術を使った交換可能な通貨という性格を持つだけでなく、現実世界のアートと同じように有形で、それ自体に価値があるとみなす実物資産にあたります。たとえばデジタルアートであれば、簡単にコピーや改ざんができてしまうように思いますが、固有の価値を与えるNFTアートは、固有性や真正性を保証する証明書や鑑定書付きの作品であるということになります。

NFTは、単なる価値を図る通貨の取引記録をブロックチェーン上で記録していくものだけではありません。NFT自身に固有の価値があるため、デジタル世界において、幅広い分野で活用していく可能性があるのです。そう考えると、「この世に唯一無二のもの」という意味で、NFTはアートそのものに相応しい技術になります。しかも電力さえあれば永久に消え去ることなく、誰にも破壊できず、ゴミも出ないため、人類が残す偉大な資産として、これ以上に都合のいい形はありません。アートの仕事をしている人間がNFTに魅了されるのは、当然のことなのかもしれません。

中央集権体制からの脱却、分散へ

ここでデジタルの世界がどう発展してきたかを、少し振り返っておきましょう。

今、私たちがスマホやパソコンを使って利用しているインターネット環境は、「Ｗｅｂ２・０」と言われます。

その前は「Ｗｅｂ１・０」と呼ばれており、インターネットビジネスが始まった当時のサービスです。「Yahoo!」のような検索サイトがネットの中心で、私たちはネット関連の企業から提供されるサービスやコンテンツを使うことだけで満足していた時代でした。

これが「Ｗｅｂ２・０」の時代になると大量のデータを扱えるようになり、ブログやＳＮＳなどで、プログラムが書けない人でも情報を発信でき、インターネットを使ってさまざまな試みを主体的に実現できるようになりました。しかし、「誰でもが自由にＷｅｂを活用できる」というのが問題で、それは結局、ユーザーがフォーマットを提供する企業に従属することでしか実現できなかったのです。

そのため私たちは、いくつかの限られた企業の支配下で情報をやり取りせざるを得なくなりました。この「いくつかの限られた企業」というのが、ＧＡＦＡＭ（Google、Apple、Facebook（現Meta）、Amazon、Microsoft）と呼ばれる「Ｗｅｂ２・０」世界の支配者たちです。インターネットを使っている以上、誰もがどこかでこの４つの企業に関わらざるを得ないのが現状です。そのたびに私たちはＧＡＦＡＭ企業に個人情報を提供し、知らず知らずのうちに「こんな情報がありますよ」とか「こういう商品はいかがですか?」という誘導を受けてしまっています。

すべての商取引が、限られた企業が持っている個人の情報を入れ込んだ大量のデータベースで管理される。これは究極の資本主義であり、究極の中央集権体制です。たとえばアメリカ大統領は国民が選挙で選び、2期まで大統領職を全うすることが可能ですが、最大8年で交代することになります。この「大統領選挙」はとても素晴らしい制度で、質はどうあれ、多数決によって「皆がいい」と思う人が選ばれるわけです。だからアメリカ人はある程度、「自分が住んでいる国をどのような国にするか」を自分で決めることができます。

しかし私たちはマーク・ザッカーバーグ[20]やイーロン・マスク[21]といった、インターネットを支配する企業のCEOを選ぶことはできません。彼ら自身が大株主であれば、永遠にその企業のトップとして君臨することが理論的には可能な仕組みになっています。彼らは悪い人たちではなく、善意の素晴らしい資質の経営者でありますが、時間と共に人間は変化するというリスクがあります。成長して良い方にだけ変わっていけばいいのですが、長期にわたって会社を支配することになると、経営者が悪い方向に変節していく例も歴史の中では数多くありました。あらゆる商取引を実質的にコントロールしている経済的な支配者がいて、その人

Web1.0、Web2.0、Web3はこんなに違う

	Web1.0	Web2.0	Web3
デバイス	PC	スマートフォン	メタバースデバイス
データ交換	テキスト	SNS	ブロックチェーン
処理インフラ	サーバー	クラウド	クラウド + AI
提供される機能	閲覧	情報交換	価値交換

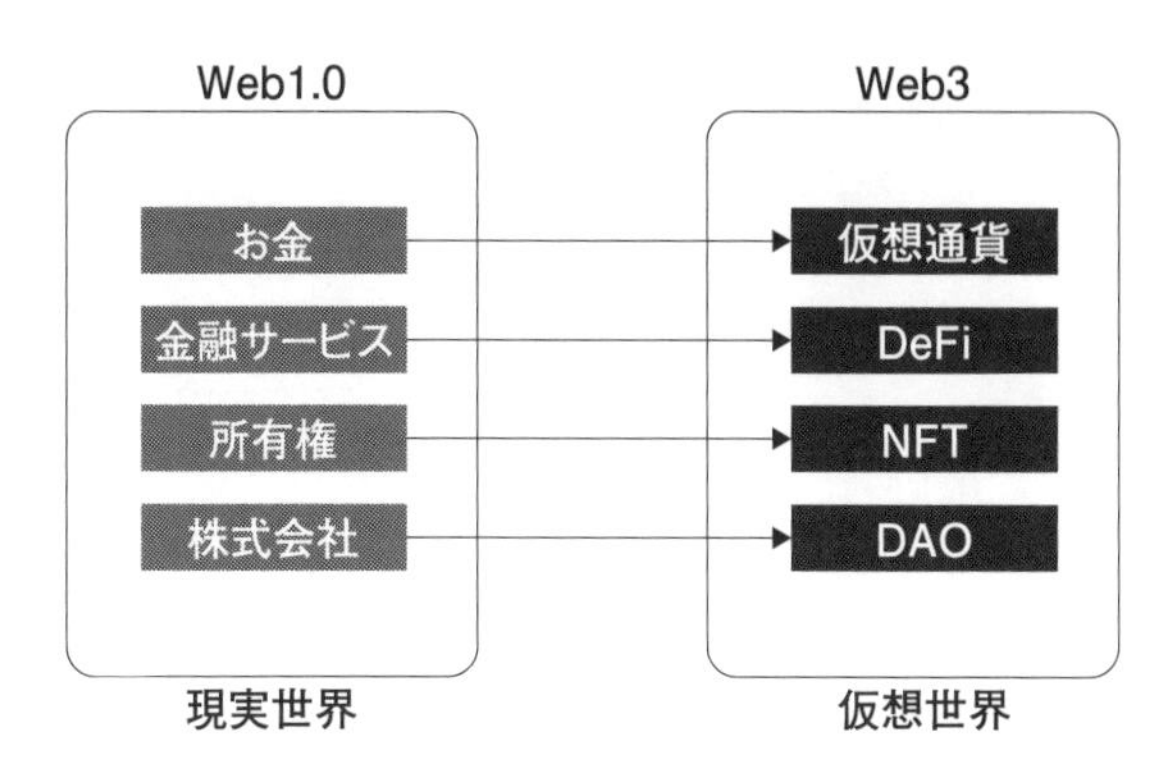

が時間とともに変化していくリスクの中で、私たちは、その仕組みに支配されるしかなくなっているわけです。

これはある意味で非常に怖いことであり、大きなリスクになります。これこそが18世紀から始まった近代資本主義の行き着いた先であるとも言えるわけです。近代国家体制やその下で活動する企業統治体制により、人間社会を統治・支配しながら、技術革新により成長と利潤を追求し、インフラを牛耳り、利益を享受する企業や国家が世界を支配していくのです。

大量廃棄を憂う時代に出てきた「Web3」というコンセプト

競争社会は効率と成長をもたらしますが、抜けているものがあります。「技術革新→大量生産→大量消費」のあとには、必ず大量廃棄がもたらされるということです。これまでの近代資本主義は、大量消費させることにより、企業や国家の利潤が支配とパワーの源泉となって全面に出て、その後の大量廃棄の処理についてはどうしても後手後手の付け焼き刃的な処理のみに終始する状況になっていました。しかし20世紀後半になり、これに目を背けてはいられない状況になってきました。人類そのものの存亡にまで危機感を募らせるアーティストや人々が声を上げ始めたのです。そのような中で出てきたのが「Ｗｅｂ３」というコンセプトでした。これまでの「Ｗｅｂ２・０」の支配体制を完全に打ち壊す「Ｗｅｂ３」の世界が現れました。

Ｗｅｂ３とは、ブロックチェーン技術などを応用した「分散型ネットワーク」の時代を指す言葉です。誰かが支配・管理するというものが介在せず、インターネット間で相手と1対1で直接コンタクトして取引する「Ｐ２Ｐ」を技術的に実現する仕組みのことを言います。

ちなみに、世の中では「Ｗｅｂ３」と「Ｗｅｂ３・０」という言葉が混在していますが、これらはまったく意味が異なります。元々Ｗｅｂ３・０とは、２０００年代半ば、Ｗｅｂの父と呼ばれるイギリスの計算機科学者ティム・バーナーズ＝リーが唱えた「セマンティックＷｅｂ[22]」のことを指します。そのため本書では、「Ｗｅｂ３」に統一しています。

実はリアルな世界でＰ２Ｐはすでに起こっていました。それは物々交換の時代です。物々交換は今でも個人間ではよくある話ですが、企業活動や国家運営が大きくなればなるほど、Ｐ２Ｐではなく、組織運営の方が効率的であるため、企業支配による取引が主体として世界が構築されるようになってきました。インターネットが世界に普及してからはさらにＰ２Ｐ

という世界は消え、GAFAMを中心とした企業たちによる支配が拡大しました。たとえば私たちが誰かにメールを送るとき、そのやり取りは必ず「Google」のようなプロバイダを通しているし、「Amazon」でモノを買えば当然、その情報は「Amazon」のサーバーの中で管理されるわけです。

しかし、Web3で代表されるブロックチェーンの技術を用いた時、誰の干渉も受けず、誰かが管理しているわけではないシステムが作れます。そうすることで、私たちはネット上で完全自由にさまざまな取引とデータをやり取りすることができるのです。

「Web3」の商取引とは？——フェアな合意

たとえばこんなことをイメージしてみてください。

仮想通貨は、通貨を管理する「ウォレット」と呼ばれる財布の仕組みを通してやり取りします。それを使って購入したい人が、ネット上の本屋さんに直接自分のウォレットをつなぎ、そこで決済することができます。そのやり取りは本屋さんからするとウォレットのアドレスしかわかりませんので、買った人がどのような人で、どのような属性を持っているかわかりません。

もし、購入者が自らの意思で自分の素性を明かせば、知ることはできます。しかし、今のように最初に購入者の登録をすべて記入させた上で購入するというやり方は、本来、販売者と購入者の関係としてはフェアではありません。Ｗｅｂ３上での取引は、あくまでフェアな取引のもと、両者の合意の上で商取引が成り立つのです。

さて、ここで重要なことがあります。たとえば本を購入しようとしたとき、本屋さんと購入者との間でフェアな合意が成り立つとすると、その資金決済をクレジットカードや銀行振込で行う必要がなくなるということです。クレジットカードで決済をするとクレジット会社の購入記録となり、クレジット会社のサーバーに記録が残り、このデータはさまざまな形で利用される可能性があります。また、銀行振込をすれば銀行のサーバーに送金記録が残ります。

Ｗｅｂ３では、その記録は購入者と本屋さんとの間で、両者の合意した情報しか残りません。しかし、ブロックチェーン上での暗号資産の決済が進んでいない状況においては、このＷｅｂ３の決済を面倒に感じる人たちが数多くいるのが現状でしょう。

「中央集権」対「分散化」の攻防が新たな経済活動を予見

振り返れば、１９９０年代初頭のインターネットが出たての頃に、ネットショッピングが最後までうまく行き着かずイライラして、どうせ本を買うなら本屋さんに行った方が楽だと思った経験をした方も多いのではないでしょうか。同様に、現在のＷｅｂ３もその当時に似ているのかもしれません。ウォレットを作るのも面倒だし、その中に暗号資産を入れ込むのも、ウォレットをコネクト（つなげる）するのも面倒だと思う人がまだまだ多数派でしょう。ただ、実際にやり方を覚えるとこんなに楽な処理はありません。また、これからＵＩ[23]（ユーザーインタフェース）が進み、簡単にその処理ができるようになってくると、Ｗｅｂ３での決済が爆発的に普及することになるでしょう。

現在、仮想通貨で最も有名なビットコインは70兆円前後の経済圏（時価総額）を、暗号資産市場全体では１００兆円を超えます。この経済圏では、国家も銀行もＧＡＦＡＭも、まったく関与できない経済活動が成立しています。新たな資本主義は、このブロックチェーンという新しい仕組みの上に構築され、これまでの中央主権的な支配構造から、分散化の世界を模索する動きになっています。つまり、「中央集権」対「分散化」の攻防の中で、より自由な経済活動から新たな資本主義が生まれてくると考えるのが当然でしょう。

DAOのメリットとデメリット——新しいコミュニティへの期待

ネット用語で最近よく耳にするDAO（ダオ）。日本語では「分散型自律組織」と呼ばれます。人間が作る組織の中で、リーダーの意思決定に委ねる国家運営や企業運営による組織ではなく、意思決定をその組織やコミュニティ全体で行う管理・運営の在り方です。DAOには賛否両論あると思いますが、組織運営の在り方としては理想です。

しかし、現在の中央集権型の組織運営は、歴史的にも統制や牽制体制が非常に成熟しており、合理的な一面があります。これに対して、コミュニティ全体に投票権を持たせて、すべてを投票のもとで意思決定を行うと、活動の連続性や決定した内容の整合性がとれなくなる場合が出てくることもあります。そのため、DAOの運営はまだ未熟な状態にあると言えます。

ですが、ＤＡＯは「Ｗｅｂ２・０」の支配体制の真逆にあるのは確かです。ビットコインですら、基本的には「どうやって運営するか」や「どうやって利用すべきか」ということを、そこに携わるコミュニティの多くの技術者たちで相談をし、提案をする中で決められてきました。

そのような中で、人類が歴史上で起こしてきた問題と同じことが現代でも起こる懸念があります。それは、コミュニティを支配しようと試みる者が生まれる危険性です。たとえば、みんなのビットコインでありたいと願う大多数に対して、自分だけのビットコインにしたい数少ない人たちが出てくるかもしれません。

また、暗号資産には「51％問題」という懸念があります。もし、ビットコインを51％以上持った場合、ブロックそのものの取引をその過半数を持った人の意思で自由に改ざんされ、コントロールされるリスクがあるというものです。そのため、マイニングする人たちを世界中に分散して、特定の個人が51％を支配できないようにするのが理想となっています。しかし、お金が力となる現在の資本主義では、マイニングするための資本を拠出できる人たちが資金力によって寡占状態になるリスクも出てきています。

イーサリアムの進化と日に日に変わる暗号資産の勢力図

では、ビットコインの次に大きな時価総額を持つイーサリアム[24]という仮想通貨に注目してみましょう。イーサリアムはビットコインとトランザクションの仕組みが異なり、より高度で使いやすい取引が構築できる仕組みを持っているため、イーサリアムベースのさまざまなトークンが生まれています。また、ＮＦＴもイーサリアムベースのものが数多く出てきており、暗号資産業界のさまざまなプラットフォームのベースとなって拡大しています。

これに対して、ビットコインは純粋にコインとしての機能を堅牢に維持しているため、その背後にあるブロックチェーンは売買の記録を残す機能のみのため、そこからさまざまな取引ができるようになる発展性がありません。ただ、この堅牢な仕組みゆえにビットコインは「デジタルゴールド」と呼ばれるほど、構造的にもその資産価値に信頼性があります。

イーサリアムは、日に日に進化を遂げています。これまでは、取引記録の認証システムをマイニングで実施してきました。マイニングは、計算処理を競争して勝ち抜いた人に報酬が与えられますが、異常なほどのコンピュータの計算能力を使用するため、とてつもない電力を消費します。

そのため、ビットコインのマイニングによる電力消費量は世界的な問題となってしまいました。これを解消するため、イーサリアムは2022年9月にこれまでのマイニングによる認証方式をステーキングへ移行しました。これがイーサリアムの「マージ」[25]というイベントで、通貨をデポジット[26]したノードと呼ばれるコンピュータがイーサリアムのブロックチェーンを認証することだけで報酬が生成される「ステーキング」という仕組みに移行しました。そのおかげで、認証システムにかかるエネルギーコストを極限にまで下げることに成功したのです。

ビットコインは頑なにマイニングによる取引の認証方式を継続していますが、世界はステーキングへ大きくかじを切っているのが現状です。もしかすると将来、汎用性が高く、エネルギー消費の少ないイーサリアムの時価総額がビットコインを抜き去る日が来るかもしれません。

暗号資産の世界の中での勢力図も日に日に大きく変わっています。2022年は激動の年でした。ステーブルコイン[27]と呼ばれる米ドルとリンクする暗号資産の中で、韓国企業の

Terraform Labsが発行しているＵＳＴ（テラＵＳＤ）と呼ばれる暗号資産の脆弱性が露見するや、ＵＳＴは米ドルとのリンクが外れ、あっという間にゼロに近い価値まで売りたたかれました。そのため、ＵＳＴが米ドルと同じ価値を持っていると信じていた数多くの被害者が出ることになってしまいました。

また、アメリカ発の希望の星であったサム・バンクマン・フリード[28]が指揮をとっていたＦＴＸ[29]も大きなスキャンダルにより一瞬にして破綻。サム・バンクマン・フリードは逮捕され、業界の勢力図は大きく塗り替えられることになってしまいました。

Web3とリンクした仮想空間――メタバースの起源と可能性

２０２２年、ブロックチェーンを実装した社会形成が推進されていく中で、現実社会の仕組みにブロックチェーンを組み込んでいくインフラが形成されていきました。そして、それ以上に簡単にＷｅｂ３を私たちの生活に組み込む在り方として、仮想空間の中にブロックチェーンを組み込み、新たなプラットフォームとしてインフラを形成するプロジェクトが世界中から生まれています。

実際の世界にブロックチェーンを組み込むことは、Ｗｅｂ２・０とＷｅｂ３をリンクさせることで非常なストレスがかかるため、開発に時間もかかり、運用も大変です。これに対して、仮想空間上であれば、簡単にウォレットを組み込んで運用することが可能です。そのためのプラットフォームも、その目的のための開発になるので、ブロックチェーンとＷｅｂ３とは非常に相性が良いのです。

このような流れの中、メタバースにトークノミクス（ブロックチェーンを裏付けとするトークンにより構築される経済）を組み込んだ世界を構築するプロジェクトが一気に浮上します。この中でＷｅｂ３は、最初から標準仕様として、誰もが簡単に接続して参加できます。そして誰もが利用者であり、管理者にもなれる「ＤＡＯ」の実現が可能になります。ゆくゆくは世界がまだ見たことのない、まったく新しい形の経済システムがネット上で成立する可能性もあります。

今、「メタバース」が世界でも大きなトレンドになっています。その大きな要因は、Ｗｅｂ３とリンクした仮想空間により、私たち人類がこれまでのリアルな世界だけでなく、技術的に別次元の世界で生きる可能性が見えてきたからです。

実は、メタバースそのものは、すでに古くからありました。コンピュータ上の仮想空間という発想は、80年代の『トロン』[30]という映画などでも描かれています。これをより生々しく描いたのは、先に紹介した『マトリックス』です。そして人間同士が何らかの機器を使ってパソコン内に「アバター」[31]を作り、アバター同士でコミュニケーションすることは、この先ゲームでもビジネスでも必然のように考えられるようになるでしょう。最近の映画では、スティーヴン・スピルバーグ監督の『レディー・プレイヤー1』は、まさしく近未来を予見するものでもありました。

そして今、5G[32]のような大量データのやり取りが可能になり、ある程度、メタバースによる現実的な成功例も出てきました（このことは、またのちほど詳しく説明します）。そのためFacebookは、時代の変化を見据え「Meta」と会社名を変更したわけです。

デジタルアートを牽引していくアート作品たち

では実際にWeb3やメタバースの世界で、どのような新しいアートが生み出されていくのでしょうか？　正直、私はデジタルアーティストではないので、具体的なものを容易に想像することができません。

すでにヒットしているNFTアート[33]に、「Bored Ape」[34]というものがあります。これは何の変哲もない、猿（Ape：エイプ）を描いたイラストです。さまざまな帽子を被り、服装や眼鏡、手に持っているモノや配色の違いなど、たくさんの絵柄が存在します。しかし、NFTアートゆえ、世の中に同じものは存在しませんし、当然、コピーすることもできません。そのため購入すれば、まさに世の中に唯一、誰も持っていないエイプとなるわけです。実はこの「唯一無二のエイプ」は、富裕層コミュニティに入るチケット代わりになっています。投機目的も含めて、暗号資産を所有する人々のコミュニティの中で、1点で5000万円も値段がつくような高騰を見せました。ただ単なるエイプのイラストをNFT化したものがそのように高騰するのは、バブル的な現象にも見えるわけですが、それはまさしく今の勝者総取りの資本主義を象徴しているようにも見えます。そのため、真の意味でWeb3の時代に相応しいアートとは言えないのかもしれません。

では、本当のWeb3やメタバース時代のアートとは何でしょうか。

それは、強いエネルギーで私たちに力を与え、度肝を抜くほど驚かされ、もっと常識破りの表現で私たちに迫ってくるものだと考えています。

メタバース空間での〝体験〟こそ新たなアート

たとえば新宿で猫が飛び出す3D広告が話題になりました。メタバース空間内でのアートは、あのような平面や立体という枠組みを越える、見たことのない世界に私たちを連れていってくれるような作品となることでしょう。それは楽しく、愉快で、その衝撃は凄まじいものになることは間違いありません。

コンピュータ・グラフィックス・アーティストの1人で、世界的な3Dアートのレジェンドである河口洋一郎[35]さんがいます。1970年代、コンピュータがまだ出来たてホヤホヤの頃からコンピュータ・グラフィックスに取り組み、世界中の関係者たちを驚かせてきました。彼がやろうとしているのは、コンピュータ・グラフィックスを使って5億年先の地球の生物をイメージし、創造することです。

1980年代以降、生命と宇宙をコンピュータ・グラフィックスで表現してきたアート作品は、メタバースの中でさらに力のある作品になる可能性があります。無限に広がるメタバース空間上で新たな世界を作り、新たな表現を発見することはアートの領域を大きく広げることになります。それによって生まれたアートが、果たしてNFTやメタバースの空間でどのように表現されるだろうか……。こうしたプロジェクトには興味が尽きません。

そして、これまでの現実世界の美術館で経験するアート鑑賞と、これからのメタバース空間上で体験する美術館でのアート鑑賞は、異なるものになるでしょう。従来、アート作品は視覚を中心に聴覚などさまざまな形で私たちが認識するものでした。対して、メタバース空間上のアートは、空間上の新たな〝体験〟をもたらし、その体験が新たなアートとして成立するはずです。

そこから得られるものが感動なのか畏怖なのか、それとも恐怖や戦慄なのかはわかりません。しかしアートがこの先、私たちが想像しえないものに進化していくことは間違いありません。

Web3財団のギャビン・ウッドが挑む――創造的破壊

オーストリアの経済学者、ヨーゼフ・シュンペーター[36]は、すでに20世紀の前半に「企業者は、創造的破壊を起こし続けなければ生き残ることができない。」という「イノベーション」の考え方を提唱していました。しかしシュンペーターは、イノベーションで行き着く先を〝世界は企業による寡占化と支配が進み、資本主義という名のもとでの「社会主義化」が進む〟と予言します。今のＷｅｂ２・０の世界はまさしくシュンペーターが予言した世界になっています。

現在、ＮＦＴのようなブロックチェーンの技術と、それにともなって形成されるメタバースやＷｅｂ３の世界は、シュンペーターの「創造的破壊」によって、社会主義化して寡占され、支配される社会を自由に解き放つことができるか否かの大きな岐路に立っています。

Ｗｅｂ３の世界を知りたければ、何より注目すべき人物は、イーサリアムの元共同創業者で元ＣＴＯであったギャビン・ウッド[37]でしょう。ギャビン・ウッドはスイスにＷｅｂ３財団を立ち上げ、ポルカドット[38]というプロジェクトから数多くのＷｅｂ３実現のためのプロジェクトを推進しています。

Ｗｅｂ２・０の世界では、私たちがインターネットで何かをやろうと思ったら、まず「ＩＤを作ってください」と言われ、ＩＤとパスワードを決めます。そして「ログインしてください」と言われ、ログインすれば、「会員情報を書いてください」と言われます。するとメールが送られてきて、知らず知らずのうちに名前を書き、メールを書き、電話番号を書き、住所も書く。あげくクレジットカードの情報も書かされるのです。そうしないと本1冊すら買えないのです。

確かに家から一歩も出る必要がないから便利、と大半の人は思っているのですが、本当のところ駅前の書店に行くのと、どちらが手軽で安全なのでしょうか？

Web2・0という覗き見される情報支配

しかし、仕方ないのです。Web2・0の巨大支配の中、リアルにモノを買える場はどんどん少なくなっています。私たちがモノを買えば、その情報はすべて集約され、支配者は私たちが「次は何を買うか」までお見通しです。情報収集しなくても、自分の好きなアーティストが新作を出せば必ずその広告が目に入るし、「車が欲しいな」と思えば、YouTube で車の広告ばかり目に入ります。「去年はこの時期、クリスマスケーキを買ったな」と思ったら、「今年はこんなケーキがオススメです」という情報をインターネットでたくさん目にするようになります。私たちはすべて誘導されているのです。
従来であれば、この世を見下ろす神様にしかできなかったことかもしれません。それを一企業がコントロールし、私たちの行動に影響を与えています。これは恐ろしいことだと思いませんか？

ギャビン・ウッドは、こんな世界を今、破壊しようとしています。彼が創りたい世界は、至極簡単なものです。

私たちはそれぞれ、誰に覗き込まれることもない財布を持ち、インターネット内の好きな場所に行って、好きなモノを買い、好きなサービスを受けることができます。たとえばそこで1000円のモノを買ったら、相手に1000円を払う。その1000円は銀行に手数料を払って仲介されるわけでもないし、どこか別の機関に記録されるわけでもありません。
財布を誰に預けることもなく、純粋に売り手と買い手が1対1でフェアな取引をする。まさに「メタバース」が理想とするように、現実世界でおこなっているのと同じことをインターネット上で可能とします。

トークンによる「シェアリング経済圏」の誕生

Web3の世界に移行すれば、私たちとアートとの関わりも大きく変わることが想定されます。

たとえば、あなたの大好きなアーティストがいたとしましょう。ネットで検索すれば、そのアーティストのホームページがあり、Facebookページや Twitter のアカウントが出てきます。あなたはそのアーティストの個展などの情報を知ったり、ファン同士でつながったり、あるいは何らかの機会に、アーティスト本人とコミュニケーションをとることができるかもしれません。そしてアーティストの展覧会に行って作品を楽しみ、うまくいけばアーティストの作品を購入することができるかもしれません。

しかし、Web2・0の世界でできるのはここまでです。あくまで、アーティストとコレクターの関係は、アーティストは作る人、ギャラリーは売る人やコレクターを抱えるなどの縦構造か、あるいはアーティストのファンでありコレクターであるといった一本の線で結ばれている関係となっていることがほとんどです。

250億円のアートを1億人が250円でシェアすることが可能に

ところがWeb3の世界になると、この構造が変わる可能性が出てきます。アートをシェアリングするということがブロックチェーンで容易になり、その所有形態がWeb3により大きく変化するかもしれません。

20世紀後半、資本主義が成熟していくプロセスの中で、富裕層が購入するアート作品の価格が異常に高くなっていきました。世界の富の独占が加速していく中で、富裕層の金銭感覚もどんどん上がっていったのかもしれません。今では20世紀の偉大なアーティストたちの作品のマスターピース[39]は、100億円以上で取引されるようになっています。

上海在住の有名なアートコレクター夫婦が250億円もの金額でモジリアーニ[40]の作品を落札して有名になりましたが、1枚の絵画が250億円というのは、冷静に考えると驚くべきことでしょう。250億円あれば、立派なビルが丸々一棟購入できます。そして、そのビルから生まれてくる家賃収入も膨大になるはずですし、大きな利潤を得ることができます。ですが、絵画から利潤は生まれません。絵画は、所有する名誉と将来的な値上りが期待される程度で、資産としての価値があるだけです。

私たち一般の人間からすれば250億円の絵画と言われても、高額すぎてピンとこない金額です。素晴らしいアートの所有は昔からお金持ちの専権事項で、一般の人とは異なる世界であったのは間違いありません。しかし、これだけ社会が高度に進化して数多くの人たちがアートを楽しむ知性を身につけるようになった現代社会では、あまりにもかけ離れた世界に違和感を覚える人たちが出てきているのも確かだと思います。

そこで、250億円のモジリアーニの作品を1個250円のトークンを発行して売り出せば、1億個のトークンでモジリアーニをシェアすることが可能になります。

NFTアートはメタバース上で新たな価値を生む

この新たな所有形態には長所短所があり、さまざまな議論が必要になります。しかし、少なくとも、お金持ち一人が所有する場合とは大きく異なり、誰もが250円で、250億円もの価値のあるモジリアーニをシェアできれば、数多くのモジリアーニ・トークンの所有者とその作品との関わりが深まることになります。これまでの絵画の分割所有は、ただ単に投資目的で美術品の一部の権利を所有するというものです。しかし、シェアリングにはコミュニティが活発に稼働して、シェアリングしている人たちの情報交換や購入が深まります。さらにトークンを持つ人は、その絵画との関わりの中で、人生の有意義な時間をシェアすることができるようになるのです。

そしてアートをトークン化してシェアリングという保有形態が成立すると、アート展示の可能性にも変化が生じます。まず、トークン保有者全員が投票することによって、アートを保管する方法が決まります。数多くのトークン所有者による投票を行うため、基本的にトークン所有者たちが美術館やギャラリーに寄託して、誰もが見られるところに保管する判断がなされることになるでしょう。同時に、そのコミュニティがメタバース上に作品画像を展示して、ＮＦＴ化した作品が見られます。そうすることで作品の価値は、現物の作品と同時に「メタバース上のＮＦＴ」として新たな価値が生じるのです。

となると、トークンホールダー[41]同士で寄託された絵画を観に行くツアーも可能ですし、その作家に関するさまざまなイベントを開催してトークンホールダーたちの交流を深めることもできます。わずか250円でその美術品のオーナーの一人になることができ、オーナーたちと交流を持てるのは楽しいことです。

このようなブロックチェーンによるトークン管理によってアートを所有していく在り方は、まだ一般的ではありません。しかし一人の保有者がアート作品を所有するよりも大きな広がりがあり、アートの価値の在り方も変わるのです。さらに、株式市場の時価総額的な考え方でアートの価値が決まるようになると、オークション以上にアートの価値に客観性が生まれます。そのような場所が有名になっていけば、アーティストが連動してメジャーになっていく可能性もあります。

今やインターネット内ではYouTubeから有名人が生まれたり、TikTokからヒット曲が誕生したりということが起こっています。「Ｗｅｂ３」の世界でも、「その作品が好き」という人がプロデューサーになったり、マネジャーになったりして、１人のアーティストがスーパースターになることもありうると考えます。

Web3とアートの親密な関係。Web上のNFTアート

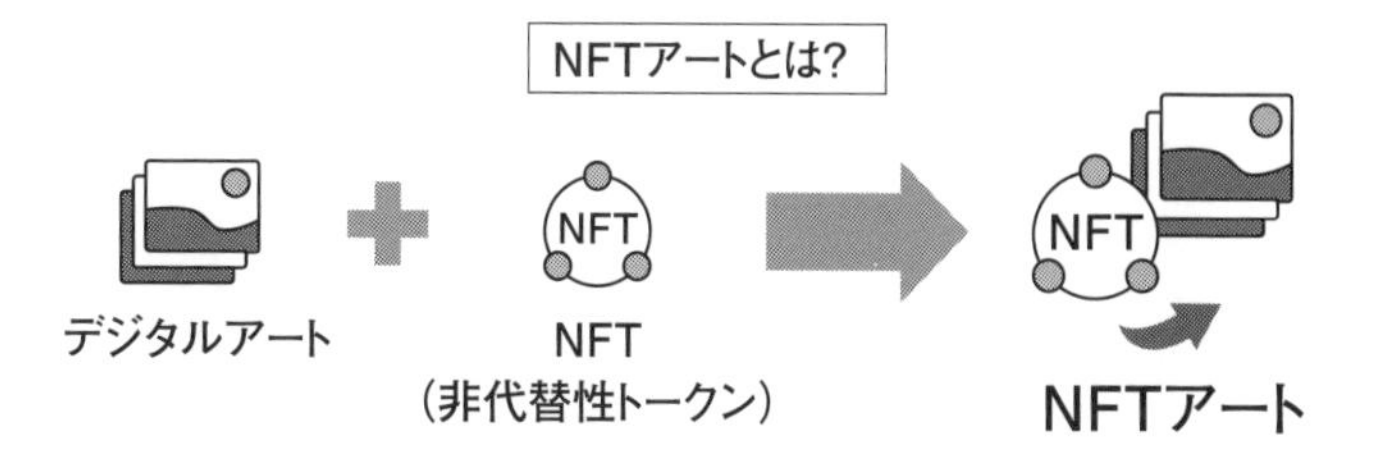

NFTアートの仕組み

・替えが効かない
・改ざん・複製がきわめて困難

デジタルアートとNFTを紐づける

NFT所有＝所有者であることの証明が可能に

NFTアートにはこんなものがある

Bored Ape Yacht Club
https://boredapeyachtclub.com/#/

SHINWA ART NFT
https://www.shinwa-wise.com

Web3は自由な意志と選択が可能な社会を実現

もちろん未来の可能性にはさまざまなバリエーションがあります。私がこれまで述べたことも可能性の一つに過ぎません。

しかし確実なのは、「Web3」と「メタバース」の世界は、すぐそこまでやってきているということです。

考えてみれば、資本主義が始まってから現在のGAFAMの時代まで、私たちは決して主体的に「欲しいもの」を選んできたわけではありません。誰かに何かを欲しくなることを誘導され、それを購入しなければならないように、知らず知らずに促されていたことが現実なのです。

実際、朝起きてから決まったテレビ番組を見て、1日の重要な時間をゲームやパチンコなどに費やし、SNSで刺激の少ない知人たちと相変わらず変化のないやり取りを続け、気づけば何となく1日が過ぎているのです。みんなが右を向けば右を向き、同じものを食べ、同じものを着て、同じ情報に感動している。私たちは本当に、充実した人生を満喫しているといえるのでしょうか？

Ｗｅｂ３が導くのは、誰からの支配も受けず、自由な選択肢で、好きなものを選べる世界なのです。その世界で私たちは「人間」という制約すら、すでに超えているかもしれません。メタバース空間では、実際にアバターも自由なのです。年齢も性別も、人種だってその人の選択するまま。仮想空間の中では、渡り鳥のアバターとして、何の制限もなくその姿で世界を飛び回り、自分の好きなように生きることができます。

これが現在、始まろうとしている新しい創造的世界なのです。アート的な感覚にならなければ、その醍醐味を満喫することなどできないでしょう。

1　レオナルド・ダ・ヴィンチ／ルネサンス期を代表する芸術家。史上最高の画家の一人と評され、人類史上で最も多才との呼び声も高い。「12使徒の中の一人が私を裏切る」とキリストが予言した時の情景が描かれた『最後の晩餐』でも有名。

2 産業革命／18世紀後半にイギリスから始まった技術革新と、それにともなう社会構造の変化。この革命において、織機・紡績機の改良などが行われ、現代資本主義の基盤が作られた。

3 アンディ・ウォーホル／アメリカの画家・版画家・芸術家。1928年生まれ。銀髪のカツラをトレードマークとし、キャンベルのスープ缶やマリリン・モンローなど、大衆に馴染みのあるモチーフを作品として、強烈なインパクトを与えた。

4 バンクシー／街の壁などにスプレー缶などで描くグラフィティ（落書き）アーティスト。制作している姿を人に見せないゲリラスタイルで神出鬼没。イスラエルとパレスチナの紛争地帯を隔てる分離壁にグラフィティアートを描き、政治的なパフォーマンスでも名をあげた。

5 SDGs／「Sustainable Development Goals」の略で、「持続可能な開発目標」のこと。17のゴールと169のターゲットから構成され、地球上の「誰一人取り残さない」ことを誓っている。

6 メタバース／コンピュータ上の3次元仮想空間のこと。

7 ヴィック・ムニーズ／ブラジル出身の芸術家。1961年生まれ。チョコレートや針金、おもちゃなどの多種多様な素材を用い、象徴的、歴史的な報道写真や美術史上の名画などを再現した作品で知られている。

8 長坂真護／日本の社会活動家、アーティスト。1984年生まれ。「サステナブル・キャピタリズム」を提唱し、スラム街をサステナブルタウンへ変貌させる活動を行っている。

9 ターミネーター／ジェームズ・キャメロン監督、アーノルド・シュワルツェネッガー主演の映画。1984年の作品。「文化的、歴史的、美学的に重要な作品」として、アメリカ国立フィルム登録簿に保存された。

10 マトリックス／ウォシャウスキー兄弟が監督・脚本を務めたキアヌ・リーブス主演の映画。1999年の作品。コンピュータの作り出した仮想現実に生きる人間の物語を描いた。

11　スティーブ・ジョブズ／アメリカの起業家、実業家。Appleの共同創業者の一人。パーソナルコンピュータという概念を世間一般に浸透させた。Appleの業務範囲をiPod・iPhone・iPadで、従来のパソコンからデジタル家電とメディア配信へと拡大させた。2011年没。

12　サトシ・ナカモト／ビットコイン（インターネットを通じて流通する暗号資産の一つ）の考案者といわれている人物。名前が本名であるかどうかは確認されていない。

13　マイニング／「採掘」という意味。ビットコイン上におけるマイニングとは、格納されているブロックに取引が正しく記録されているかを検証する作業のこと。新たなブロックを生成し、その報酬として暗号資産（仮想通貨）を手に入れる行為。仮想通貨の取引承認に必要となる複雑な計算（コンピューター演算）作業に協力し、その成功報酬として新規に発行された仮想通貨を得る。

14　ステーキング／対象となる暗号資産を保有し、ブロックチェーンのネットワークに参加することで報酬を受け取ることができる仕組み。ビットコインにおけるマイニングに相当するプロセス。

15　フルノード／ブロックチェーンのネットワークに参加する端末のこと。ブロックチェーン上のすべての取引データを所有している。また、ブロックチェーンのトランザクションを自ら検証できるため、プライバシーを高めたり、セキュリティを高めることができる。

16　マイニング報酬／マイニングは膨大で複雑な作業を要するため、いち早く作業を終えた協力者はビットコインでその報酬を得られる仕組み。

17　半減期／ビットコインは2100万枚の発行上限があり、マイニングが進むことでその上限を超える恐れがあるため、半減期があることで新規発行のペースを緩やかにし、インフレを防いでいる。

18　P2P／ピア・トゥ・ピア（Peer to Peer）の略。ネットワークに接続されたコンピュータ同士が対等な立場で直接通信を行う仕組み。

19 トークン／既存のブロックチェーン技術を利用して発行された暗号資産（仮想通貨）のこと。

20 マーク・ザッカーバーグ／アメリカのプログラマー、実業家。1984年生まれ。Meta（旧Facebook）の共同創業者兼会長兼CEO。

21 イーロン・マスク／南アフリカ共和国出身の起業家、エンジニア。1971年生まれ。PayPalの共同創業者。2022年にツイッターを買収して話題になった。

22 セマンティックWeb／Webコンテンツなどインターネット上のおのおののデータに意味付けをし、これらを巨大なデータベースとして扱うという考え方。

23 UI（ユーザーインタフェース）／「User Interface」の頭文字をとったもの。「ユーザー（コンピュータが提供するシステムを使う人）とサービス（そのシステム）をつなぐすべての接点」のことをいう。

24 イーサリアム／ヴィタリック・ブテリンとギャビン・ウッドによって開発されたブロックチェーン・プラットフォームおよびソフトウェアの名称。このプラットフォーム内で使用する仮想通貨は「イーサ」と呼ばれている。

25 マージ／イーサリアム・ブロックチェーンのコンセンサス（取引を記録・確定させる際の合意の取り方）をプルーフ・オブ・ワーク（PoW）からプルーフ・オブ・ステーク（PoS）へ移行する大型アップデートのこと。

26 デポジット／預けること。

27 ステーブルコイン／取引価格の安定性を目的に設計された暗号資産（仮想通貨）。

28 サム・バンクマン・フリード／アメリカの起業家、投資家。1992年生まれ。暗号通貨取引所FTXと暗号通貨取引会社アラメダ・リサーチの創設者兼CEO。

29 FTX／2019年に設立。ピーク時には100万人以上のユーザーを抱え、取引高で3番目に大きな

30 暗号通貨取引所となっていたが、現在は倒産手続き中。

31 トロン／1982年に制作されたアメリカのSF映画。世界で初めて全面的にコンピュータ・グラフィックスを導入した作品として話題を集めた。

32 アバター／仮想空間上における自分自身の「分身」を表すキャラクターの名称。物やキャラクターなど、人以外のキャラクターに扮することもある。

33 5G／第5世代移動通信システム。おもな特徴として、「高速大容量」「高信頼・低遅延通信」「多数同時接続」の3つがあげられる。普及に伴い、VR、AI、自動運転といった関連技術の開発が進み、これらのイノベーションにより経済の成長や産業の新陳代謝が促進されると期待されている。

34 NFTアート／おもにブロックチェーン上で構築できる代替不可能なトークン（仮想通貨）を活用することで唯一無二の価値を持ったデジタルアートのこと。

35 Bored Ape／世界で最も人気の高いNFTコレクションの一つであるBored Ape Yacht Club（BAYC）の作品。さまざまな衣装を着たカラフルな色彩の猿のイラストが特徴。

36 河口洋一郎／日本のコンピュータ・グラフィックス・アーティスト。1952年生まれ。長年にわたるコンピュータ・グラフィックス界に大きく貢献し続けているとして、「ACM SIGGRAPH（英語版）Award：Distinguished Artist Award for Lifetime Achievement in Digital Art」を世界で3人目に受賞した。

37 ヨーゼフ・シュンペーター／1883年生まれ。経済成長の創案者。「イノベーション（革新）こそが資本主義における経済発展を支える」と主張し、『経済発展の理論』をはじめ、世界的に有名な著書を多数出版している。

38 ギャビン・ウッド／イギリスのコンピュータ科学者。1980年生まれ。2022年にはウクライナ支援のために約30万DOT（日本円換算で6・4億円相当）を暗号通貨ポルカドットで寄付している。

38　ポルカドット／ビットコインとポルカドットなど、異なる仮想通貨のネットワークをつなげることを目標としているブッロクチェーンプロジェクト。

39　マスターピース／名作、最高傑作。

40　モジリアーニ／20世紀初頭のパリで活躍したイタリアの画家、彫刻家。パリ派の画家の一人に数えられる。一貫して人物像の制作に取り組むも、35歳の若さでこの世を去った。

41　トークンホールダー／暗号資産（仮想通貨）を持っている人。

アートの価値と価格はこう変わる

アートは「国の資産」であり、国の経済力を示す指標である

第1章では、これから起こりうるアートが経済に与える影響をマクロ的に紹介しました。第2章では、時代変遷の中で起こる「アートの価値と価格」の行方はどう移り変わっていくのかについて説明します。

まず、アートの価値についてですが、残念ながら日本は世界の認識とは異なります。日本では清廉潔白をよしとする風潮があります。それゆえ、アートはお金ではなく、アートそのものに意味があるから、アートとお金をリンクさせるのは間違っているという考えが根強いと思います。

世界においてアートは「国家の資産」であり、ソフトパワーです。さらに世界の資産でもあるため、歴史の中できちんと評価していく必要があるという認識です。評価されるアートを持っている国が、国際関係においてその国力を象徴します。アートを評するには、アート

の絶対的な芸術性を評価するのと同時に、その価値判断の一つとして国の法定通貨で価値を図ることも大事です。法定通貨とは、国が定める通貨で、米ドル、日本円などを指します。アートが法定通貨で高額で取引され、注目を浴びていきます。その出来事がアート作品の評価にもつながるため、人類の資産として長く生き延びることになるのです。逆に、二束三文でしか取引されないアート作品は、二束三文としていつの日か廃棄され、消えてゆきます。

また、アートの価値と価格の関係で言えることは、アートはインフレ時代に実物資産として法定通貨よりも価値が上昇します。一方、法定通貨の価値はデフレ時代において、アートのような実物資産よりも安全で価値が高まる傾向があります。法定通貨は国の信用の裏返しであるのと同時に、アートには絶対的な実物資産としての価値があります。そのため、時代時代で法定通貨とアートの価値は影響しあっているのが特徴でしょう。

歴史的に見ると、現在、米ドルが強い時代が続いています。以前は、英ポンドが強い時代もありました。しかし、法定通貨は、あくまでその国の存在と信用力に依存しています。真のアートは、国の存在や信用力に依存することなく、人類の資産として保全されていくという意味において、価値ある実物資産と言えます。

当然、貴金属なども、アートと同じ実物資産としての価値を有しています。「金」や「ダイヤモンド」は、実物資産として長く歴史上で法定通貨よりも安定した価値を保っています。しかし、アートは唯一無二のものであり、貴金属などと異なり、人類が民族の差異を超え、共通してその価値を認めるため、実物資産として法定通貨にはない資産価値を有しているのです。

アートは今や、「世界標準の資産形成」の一部である

「自分の描く絵は、お金で価値を測るようなものではない」「山の中で狩りをし、川で魚を釣って、好きなときに絵を描いて自分は生きている。この資本主義の世の中とアートは関係ない」と時折、自身のアートの価値を否定する方と出会い、寂しい思いをします。

しかし、アートに金銭的価値がつけられ、実際に取引がなされるからこそ、世界の中でアートは人類の資産として保護されてきたのです。実際、価値のないアートは、一時的に消費されるものとして消えていきます。

現在、お金持ち同士の取引がアートの価格を高騰させて、一般の人たちには手の届かない世界になっているというのも事実です。その一方で、富裕層以外の人でも手が届くアートも

あり、それらの価値も上がっています。資産としてのアートも可能となっている現在、大金持ちでなくとも、アートを自分の資産の一部として考えていくことは大事なことではないでしょうか。

実は、数多くのコレクターがアートを資産の一部として形成しているのは、今や世界の常識となっています。ただ、日本では「アートは資産でも投資でもない」と、世界のアート市場の現実を見ない傾向が強いように思います。事実、日本古来のアートですら、皇族や貴族、あるいは大名たちの保護によって発展し、その結果、保護されたアートが価値を生み出して、そのファミリーの資産形成となってきたという歴史があります。

しかし、バブル崩壊以降、実物資産の価値が下がり、「価値がわかりくいもの」にお金をかけることを日本では嫌う傾向となってしまいました。それゆえ、1990年以降、急速に成長している中国や韓国のアート市場に対し、デフレ経済下によって日本のアート市場は大きく水をあけられ、一人負けの様相になっています。その結果、日本は、アート作品やアーティスト自体の海外流出が続く状況に甘んじていました。

すでに、その国のアートの資産性が国力を決める要素となっています。ですが、アートの世界に身を置く私は実感していますが、日本は、縄文時代から素晴らしい土器を作り、それ以降、仏像、屏風絵、焼き物、工芸品、浮世絵、漫画やアニメと、オリジナルなアートやコンテンツで世界を驚かせてきた国です。それゆえに、世界に向けて発信して、その価値を世界の人たちに認めてもらうことがいかに大切かを知ってほしいのです。なぜなら日本はアートにおいて、高い評価と価値を勝ち得ることが可能な国であると私は信じているからです。

趣味と実益を兼ねるアートコレクションとその資産価値

アート産業にとって、デフレは毒以外の何物でもありません。現金の価値が高まり、実物資産の価値は日に日に落ちていくため、アートの資産性がどんどん低下していくからです。日本では、新型コロナウイルに対抗するための聖域のない財政政策によって、30年近く続いたデフレがようやく終焉を迎えることとなりました。インフレの時代がきたのです。

しかし、世の中がデフレだろうがインフレだろうが、どんな環境下であっても、成功する事業モデルが存在し、どんな好景気時にでも倒産して失敗する事業があります。

それはアートも同じです。どんな時代でも注目されるアートの価値は上昇するのです。ただし、単に自分の好きなアートを購入しているだけでは、アートは資産にはなりません。価値のあるアートのみが資産性を持つことになります。その中で、資産性を持つアートの価値の上昇力は、ときに、成長企業の時価総額の上昇率を大きく上回ります。

２０００年以降のリーマンショックを挟む日本のデフレ環境下で、日本人アーティストである草間彌生、奈良美智、石田徹也、名和晃平、加藤泉、ロッカクアヤコ、小松美羽といった一部の作家の価値は、10倍から１０００倍に化けました。あなたがコレクションしたアートのほとんどが資産性を持たないアートであっても、一部のコレクションが何百倍になると、これまでコレクションして購入した金額を大幅に上回ることもあるのです。まさしくアートコレクションには、趣味と実益を兼ねた面白さがあります。

そして、新型コロナウイルスに対する経済対策により、日本だけでなく世界中でインフレの芽が出てきました。日本のアート市場においては30年ぶりの追い風になるため、これまで以上にアートをコレクションすることで、その資産性を享受できる可能性が高くなってきています。同時に、世界ではメタバースの時代を見据えてＮＦＴアートを含め、新たなアートの可能性が出てきました。資産となるアートの〝種類と幅、その可能性〟が大きく広がり始めています。

趣味として楽しむアートが、資産として実利を生む時代になってきているのです。

誰がアートの値段を決めるのか？——アートディーラーの仕事

投資としてのアートは、2018年にナサニエル・カーン監督が作った映画『アートのお値段』[1]を観ると、わかりやすいでしょう。

映画の中で1億ドルの値がついた作品に、「実際のところ、本当の価値はどれくらいだと思いますか？」と聞かれ、「80ドルくらいはあるだろう」と作品を保有している本人が発言している場面があります。それは、その作品の材料費だけで考えれば80ドル程度のものなのに、オークションではとんでもない高額で取引されることへの問題提起でしょう。アートの価値は、たとえ高額で取引されたものであっても、「その価格には意味があるのか？」とあえて発言をしていました。何人もの人を雇い、工業製品のようにウケのいい作品を大量生産

アートを取り巻く「場」と「人」の変化

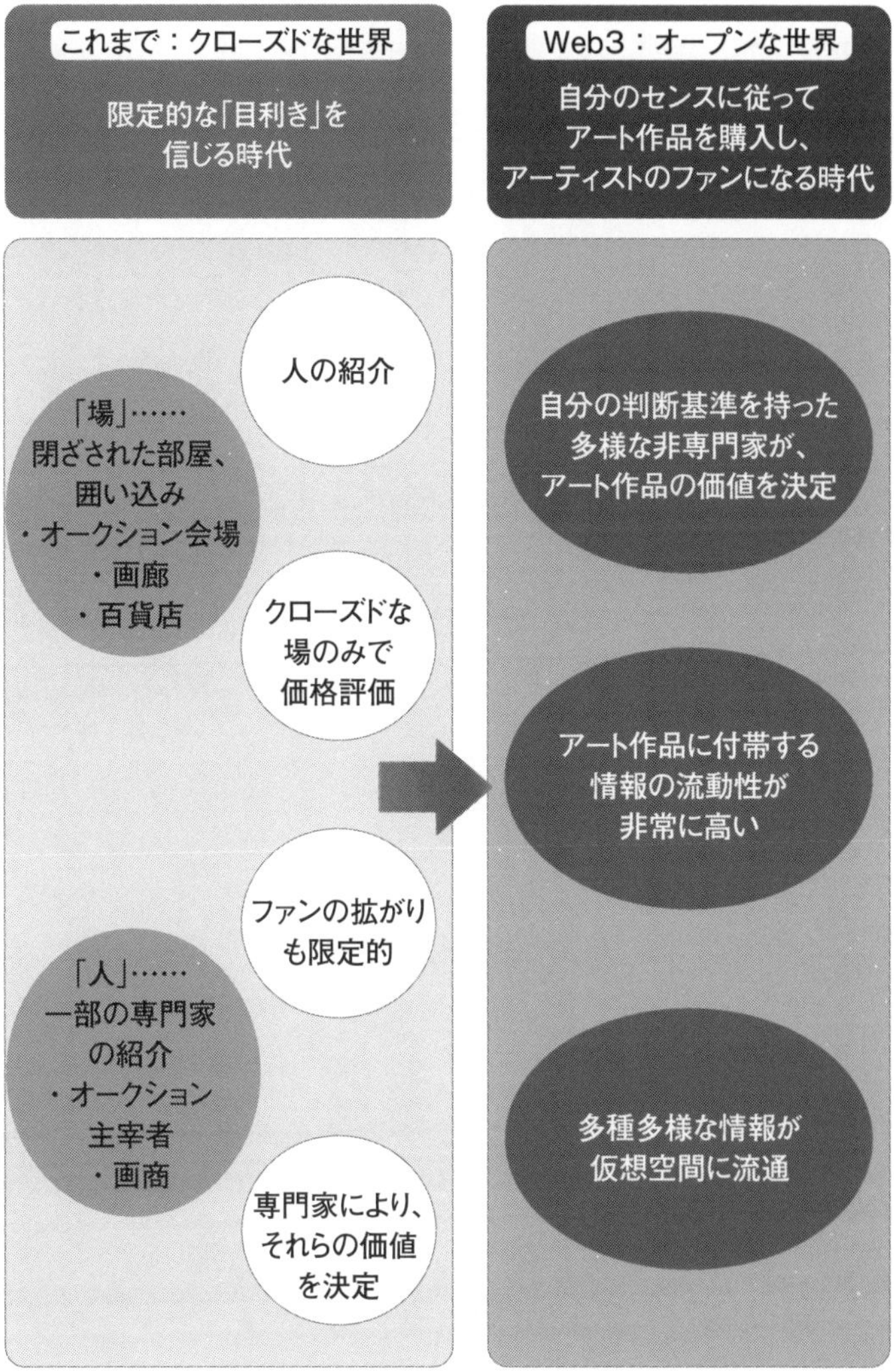

これまで：クローズドな世界

限定的な「目利き」を
信じる時代

人の紹介

「場」……
閉ざされた部屋、
囲い込み
・オークション会場
・画廊
・百貨店

クローズドな
場のみで
価格評価

ファンの拡がり
も限定的

「人」……
一部の専門家
の紹介
・オークション
主宰者
・画商

専門家により、
それらの価値
を決定

Web3：オープンな世界

自分のセンスに従って
アート作品を購入し、
アーティストのファンになる時代

自分の判断基準を持った
多様な非専門家が、
アート作品の価値を決定

アート作品に付帯する
情報の流動性が
非常に高い

多種多様な情報が
仮想空間に流通

する現代アーティスト。その一方で、貧しい仙人のような暮らしをしながら、投資家の目に止まらない作品を作り続ける画家……。映画はさまざまな立場から、現代アートが抱える問題を浮き彫りにしています。

ただ、コレクターや専門家に評価され、資産として値段がつくからこそ、アーティストが大成していくのは事実でしょう。たとえば日本が生み出した現代アートの巨匠に、草間彌生さんがいます。1960年代に彼女はニューヨークで不安定な精神状態の中で創作活動をしていました。彼女の作品は80年代まで、版画が2万円から5万円くらい、本画[2]でも小さいサイズの作品が数十万円で売られている程度でした。それが現在では、版画でも500万円以上の値で取引され、本画の小さな作品でも6000万円以上の価格でオークションで落札されます。30年くらいの間で、その値上がりが約100倍ですから、その上がり幅は、初期のAppleへの投資に匹敵します。

1人のアーティストに投資することでそれだけのうま味が出るのならば、映画『アートのお値段』ではありませんが、世界中の投資家がこの世界にこぞって興味を持つのも当然です。

アート投資はベンチャー投資よりも評価価値に魅力あり

ただし、アート作品の売買を成立させていくアートディーラーの仕事というのは、派手な仕事ではなく、地道にアーティストを育て、生業を立てています。

株の世界にもエンジェル投資家がいます。数多くある起業したばかりの会社の中から光る存在を見つけ出して、その会社の株式を購入することで投資する人たちです。結果的にその会社が成長すれば儲かることになりますが、もちろんそうなるのはごく限られた会社です。それでもベンチャーが成功し、いい会社が育っていくことで世の中がより良くなっていくことを期待し、若い会社への投資を続けていきます。そんな存在がエンジェル投資家ですが、アート界でのアートディーラーの立場も、本来的にはそういうものだと思います。

実際、私も個人的に600点程度のアートコレクションを持っています。そのうち資産性を持った作品は数が限られています。そういったアート作品に出会う確率は、ベンチャー投資の成功率よりも低いかもしれませんが、数少ない作品の価値の上昇により、投資金額の評価価値に関しては、ベンチャー投資よりも魅力的です。とくに、自分が一生懸命に推しているアーティストがブレイクするときは本当に嬉しいものです。アイドルやアスリートのファンになったことがある方なら、その気持ちがわかると思います。間違いなく〝推し〟のアーティストの価値が高まることは、国の文化だけでなく、その国の経済も押し上げることになるのです。それがアート市場におけるアートディーラーの仕事だと私は考えています。

オープンな取引で価値が決まる「アートオークション」とは?

ここで、アートの価値と価格が公平に決まる「アートオークション」について説明しましょう。

最近では高額な落札が話題となり、テレビなどでも報道されます。また、富裕層が楽しむシーンを描いた映画などでも出てくることがあるので、オークションの雰囲気を感じたことがあるいう方もいることでしょう。

オークションとは、富裕層が集まる会場で、オークショニア[3]がハンマーを片手にアート作品の値段を競り上げて、出品された作品を換金するビジネスです。そこは、アートコレクターにとって「アートの換金の場」となります。そのため、売却したいアート作品をオークション会社に持っていくと、たいてい3〜6か月で換金することができます。そして、オークション当日、オークション会社は全国・全世界的な営業を展開していきます。そこでは出品された作品を、限られた時間で、最も高額な落札がされるように奮闘するのです。

さて、アート所有者が、自身のアート作品をオークションで換金したいとしましょう。その場合、次のようなプロセスで行われます。

まず、オークション会社は、アートコレクターから出品される作品の状態を見極めます。真贋を確認して、市場価値を過去のオークションレコードや現在の市場価値を参考に落札予想価格を設定し、最低落札価格を決めます。

次に、アート作品の写真を正確に撮影し、オークションカタログに掲載します。オークションの数週間前に刷り上がるオークションカタログは、オークションの会員やコレクターに送付されます。オークションカタログが完成したと同時に、オークション会社の営業担当は、全国のコレクターに連絡を取り、出品作品の魅力を伝えます。今は、インターネットでも作品を告知し、全世界から興味ある人の連絡を待ちます。

そして、オークションが開催される週になると、実際に作品を見ることができる下見会が行われます。アート作品は一つ一つの作品が唯一無二のもので、カタログの画像だけではその魅力が伝わらず、実際にその作品を見てみないとその価値がわからないこともあるからです。

オークション当日は、オークション会社がそれまでに展開してきたマーケティングと営業活動が結実する瞬間となります。オークショニアが競りを行い、ハンマーで落札金額を確定します。オークションの競りは、参会者が多いほど盛り上がります。最後は一対一の勝負になります。どちらかが諦めた時点で、それが最高金額となり落札金額が決まりハンマーが降ろされます。オークションの参会者は、画商や投資家、そしてコレクターたちの競演となります。

ニューヨーク・ロンドン——世界と日本のアートオークションの違い

世界的に有名なオークションといえば、現在はニューヨークに本部を置くサザビーズと、同じくロンドンで誕生したクリスティーズです。

それぞれの国に有力なオークション会社が、その国のアートの換金需要を満たし活動しています。サザビーズやクリスティーズの創業は近代資本主義が生まれたのと同時期で、18世紀ごろから、オークションというビジネスを始めました。そのような歴史的経緯から、オークション事業は資本主義とは切っても切れない関係にあると言えるでしょう。

これに対し、日本のアートオークションの歴史は浅く、1980年代後半のバブルの頃からアートオークション産業の歴史はスタートしています。それまでの日本では、世界にない特殊な商形態が確立していたゆえ、オークションという、事業形態が育つ環境がなかったからでした。それは百貨店外商という、富裕層をケアできる事業サービスです。富裕層に密着する百貨店外商が、高額なアート作品の供給を受け、そのアート価値をきちんと説明できる画商と一緒に、富裕層にアート作品を販売するビジネスモデルが確立していました。とくに、1980年代のバブル当時の日本はアメリカに次ぐ経済力を持ち、世界中のアート作品を買い占めるような新興成金がどんどん生まれていました。

このように、日本において独自の美術商システムがある一方、世界ではオークションというシステムにより作品の落札価格も公表されるため、コレクターが安心しアートを購入できる場として育っていきました。

この日本と世界の実情の差に危機感を感じた日本の有力画商5名が意を決して、日本でもオークション会社を立ち上げることにしたのです。それが、現在、私が代表取締役を務めているシンワオークションです。1990年代に入りバブルが崩壊する中で、日本のアート業界からは、公開取引でアートの売買が決まっていくオークション事業が誕生したことに対する反発も起こります。しかし、オークションは、まさに時代が求める流れでした。取引価格がオークションによって公開されていくことを支持する流れが拡大していくことになりました。

資産家によって育っていった、世界のアートビジネスの歴史

アートビジネスの歴史を振り返ると、真にアートを愛する人によって支えられ、成長してきたことがわかります。たとえば15世紀のフィレンツェで財を成したメディチ家[4]の当主の1人、ロレンツォ・デ・メディチは、若き日のミケランジェロ[5]に才能を見出し、自宅に住まわせて一切の面倒を見ながら作品をつくらせました。やがて18世紀から19世紀になると、各国の先制君主たちがパトロンとなり、アートを育成します。ただし君主たちがアートを理解し

ていたかといえば、必ずしもそうではありません。

「俺を格好よく描いてくれ」
「はい、わかりました」

という具合に、宮廷お抱えのアーティストになれば、自由に作品をつくれなくなることもあったわけです。

そんな状況を大きく変えたのが、前章でも述べたように、産業革命によって確立した資本主義でした。王や貴族のような生まれもっての権力者でなく、新興の富裕者層が新しくアートの庇護者になっていきます。そしてお金を持った一般人たちにアートを売る役割として、画商というビジネスが力を持ってくるのです。画商は、アートディーラーとも呼ばれます。

すでに画商という商売は、産業革命の前にも、王侯貴族たちにアーティストを紹介する仲介役として存在していました。これが産業革命以後になると、アーティストの作品を広報し、世の中における「美」への意識を高める重要な役割を持つようになります。

そして産業革命期と同時期に王侯貴族や資本家の資産を換金するために出てきたオークションという産業形態が、アート作品の流通を促進することになります。その代表的な企業が、サザビーズやクリスティーズです。

アート作品の取引・流通は2パターンある

オークションは、換金需要に応えることができる2次流通の役割を担いますが、アートビジネスは、プライマリーマーケット（1次流通市場）を担うビジネスと、セカンダリーマーケット（2次流通市場）を担うビジネスで成り立っています。

プライマリーマーケットのビジネスは、名もない若き才能ある子を見つけて育て、プロモーションを展開して、一流のアーティストに仕立てていくビジネスです。プライマリーマーケットを担うアートディーラーやギャラリスト[6]は、自ら持つギャラリースペースでアーティストの個展を開催します。そして、アートフェアでアーティストの作品を紹介して販売します。

セカンダリーマーケットのビジネスは、オークション会社やアートディーラーが、すでに評価の確立したアーティストの作品を欲しい人と売りたい人の仲介をするビジネスです。

日本独自の画商と百貨店が支えたアート作品

日本では、オークション会社や独立したアートディーラーだけではなく、前述したように百貨店も重要な役割を担っています。実際、日本のアート市場の発展は、百貨店の外商部なしでは語れません。アート作品を卸す日本の画商は、百貨店の外商と一緒に日本の富裕層の自宅でアート作品を紹介して販売します。ギャラリストや画商が、百貨店と提携して作品を卸すというビジネスモデルです。全国の富裕層と緊密な信頼関係がある百貨店と一緒に、個別のきめ細かい営業を行います。

その営業力たるや、全国の富裕層はじめ、政財界の大物、有名な芸能人、あるいは皇室や旧士族と、社会で重要なポジションを持っている人たちを顧客として、その家族のニーズをきめ細かくとらえて、さまざまな物品の販売をしています。その中でアート作品の販売は、宝石や高級時計と並んで高額で高級なものになります。百貨店の外商がつくと、有力な百貨店でしか手に入らないレアな高級品を購入することも可能になります。

唯一無二なアートと、市場価格が明確な高級ワインの違い

たとえばサントリーの「山崎」は、今やプレミアムのつく高級なウイスキーです。2004年に販売された「山崎50年」は、当時、百貨店では300万円程度の価格であったかと思いますが、15年以上経った今、5000万円以上の金額でオークション落札されるようになってしまいました。当時、ウイスキーの市場は今ほど加熱している状況ではなく、ウイスキー1本を500万円以下というような価格で購入することができたのは、百貨店の外商のついた富裕層だからこそ購入できたものだと思います。結果的に、その当時でも高価だったウイスキーの値段は10数年の時を経て10倍です。

また、ブルゴーニュワインの頂点に君臨する「ロマネコンティ」のようなワインは、正規代理店から手に入れることは至難の技です。正規代理店が取り扱う日本への割り当て本数が限られているため、争奪戦になります。百貨店の中でも外商がつく有力な顧客の中には正規代理店価格で購入できる幸運な人たちがいます。購入した時点で、市場価格との乖離で、含み資産を持つ栄誉を得ることになります。もちろんすぐに転売して利益を得ようとするよう

な人の手にはなかなか回ってこないのも確かで、市場価格で300万円にもなるこのワインを開けて楽しむ人たちの手に渡って行くのです。

ウイスキー、ワイン、そして高級時計は、限られた数しか生産されていません。そして流通する数も把握できるため、売買の記録が残りやすく、市場価格が明確にある範囲の価格で推移しています。対して、アートは唯一無二のものであるため、正確な価格を把握することが難しく、市場価格を想定する場合には相当な価格の幅が出てしまいます。

富裕層の家庭にすれば百貨店の信用のもとで御用聞きをする外商への信頼は絶大で、外商が連れてくる画商から推薦されるアート作品は、画商というプロからの提案になります。そういうわけで、さまざまな名品が富裕層の家庭でコレクションされていったわけです。

日本の富裕層の家庭には、趣味のいい美術品が多かったりするのですが、とくに80年代には三越、伊勢丹や高島屋などの百貨店が、画商によって富裕層に美術品を販売して、日本のアート市場を牽引していきました。

専門家ではなくお金持ちが価値を決める時代へ

さて、インターネットが普及した現在、アートの価値はどのように移り変わっているのでしょうか。誰もがアートをインターネットで検索できるようになり、アートフェアに行けば、有力な画商のブースを比較してアートを買うことができるようになりました。そしてオークション記録もインターネットで検索できるため、だいたいの値段も把握できます。

こういう時代になった今では、専門家の助言だけでコレクションする必要性が低くなり、コレクター自身が「アートの専門家」にもなれてしまいます。

画商のような目利きと呼ばれる専門家が、アートを選び推薦して販売していた時代は、情報が限られていたこそのことです。価値のあるアートや最新のアート情報を知るには、審美眼を持つ目利きの専門家に聞くしかありませんでした。ところが現在は、誰もが「ニューヨークで何が流行っているか」とか、「誰がどこで賞を取った」とか、「その作品はいくらくらいで売られているか」などという情報を、簡単に入手できます。面白いことに、今まで目利きの専門家であった方も、自ら情報を探すのではなく、情報を持っている人からの発信をもとに、アートをコレクションする傾向にあります。そして近頃は、アーティスト本人も情報発信をし始めています。

こういう時代背景において、すでにアートコレクターは、目利きを信じる時代から、数ある情報を整理して自分で見極めることが主眼となってきたのです。

さらに、アートを買う手段にしても変化が見られます。これまで日本では百貨店や画廊でアートを購入していましたが、アートフェアやインターネットで展開できる販売サイトやオークションでも購入できるようになり、購入する手段の幅が大きく広がっています。

オークションに至っては、インターネットの情報で世界中どこからでも参加できるようになり、アートコレクターは世界でつながるようになりました。

アート作品の価格形成が変わり始めている

誰もが気軽にアートコレクションができるようになり、アート業界でその影響力が高まってきたのが、アートコレクターです。

アートコレクターには、美術商よりもお金持ちの富裕層もいます。しかも、アートコレクター自らが美術大学の卒業展などに出向き、そこで若い作家を見出し、パトロンとして育成に務めている人も出てきています。

変化の激しい時代の中で、最も変化したのは「アート作品の価格形成の在り方」です。前述したように、以前は目利きの美術商が主体となり、百貨店や画廊やギャラリーでアート作品を売って、アート作品の価格を決める時代でした。信頼できる美術商から購入することが最も安心できるコレクションの在り方でした。

1990年代以降、時代はオークションとアートフェアの時代になり、アートコレクターはアートフェアでアートの価格を一つ一つ確認できるようになりました。そして、オークションの価格を確認すれば、今のおおよその市場価格が把握できるようになったのです。そのため、オークションの価格は、美術商がつける値段ではなく、アートコレクターが競りをして価格をつける値付け方式となりました。

しかし、オークションはセカンダリーマーケットで換金ができるほど、すでに世の中で相当認知され、評価と価値が定まったものだけにしか値段がつきません。美術商が展開するアーティスト育成のためのプライマリーマーケットでの値付けは美術商が担い、評価の定まった流通可能な作品はオークションで市場価格が見える時代になったのです。

オークションでの価格形成は、公開の会場で、アートコレクター同士が競り上げるので、公正な取引として、価格の客観性が高まったと言えます。

アート作品の価格が高騰するわけ

オークションの価格形成にも穴があります。それは、落札を勝ち取る者（ウィナー）と、最後に諦める者（アンダービッダー）の二人により価格が決まるということです。

たとえばビル・ゲイツ[7]とジェフ・ベゾス[8]のような大富豪の二人が、まだ新人で、何の大した価値も付いていないアーティストの絵を気に入ってしまった場合、オークションでは二人の勝負になってしまいます。意地の張り合いで、どんどん値段が上がり、市場価格をはるかに超えて競り上がっていきます。

本来であれば100万円くらいの市場価格の作品が、大富豪二人の意地の張り合いでオークションパドル[9]を下ろさなくなることで、1億円以上の値段に跳ね上ったとしても、オークションではそれが落札価格として記録されることになります。

当然その結果、市場では大富豪コレクター二人が意地の張り合いでついてしまった値段だと語り継がれることになりますが、オークション価格というのはあくまで富裕層のコレクターが二人で価格形成する形態であるという事実も残ります。

当然、ほとんどの参加者は、そのアーティストの市場価格や作品の状態など、さまざまな要因を知ったうえで参加します。そのため、通常は市場価格の範囲内で落札されることがほとんどです。しかし、あくまでオークションという価格形成の方式は、現代の資本主義を象徴するかのような競争原理の中で、価格が決まっていくということなのです。

アート作品の法的課題——著作権と追及権

アートの世界ではさまざまな課題がまだ残されています。現状、大きく議論されるべきポイントに、著作権と追及権があります。

著作権については、日本ではとくに著作権者の権利が認められていて、ほとんどの判例で著作権者である作家やアーティストの権利が保護されています。写真でもイラストでも、誰かの作品を商業利用する場合には、著作者の許諾が必要です。また、作家やアーティストは、著作権料を請求できる権利があります。

しかし、作家活動をしながら、著作権を管理することは時間的にも手続き的にも非常に面倒なことです。近頃は、作家やアーティストの著作権を管理する団体にすべての著作権管理を任せている人も多くなっていて、管理団体の力が年々強まっています。

作品の画像などの商業利用に関しては、売れている作家の場合、自分の作品画像を勝手に利用されないために、自身のブランディングを含めてさまざまなリスクを考慮して、著作権の行使を真剣に考えなければいけません。

しかしまったく無名な作家だと、仮に無断使用であったとしても自分の作品を使ってほしいという人もいます。それゆえ、著作権についても無料で許諾する作家も数多くいて、著作権の行使も作家の実力がモノを言うことになります。しかも、このインターネットの時代、自分の作品がどこでコピーされ、勝手に使われているかもわからないことが多くなっていま す。ＮＦＴのような技術が普及して、所有権の特定はできますが、いつでもコピーされる著作権の問題は、著作権者にとっても、利用する側にとっても、慎重な対応が必要なことは間違いありません。

日本にはない「追及権」とは何か？ その仕組みと重要性

次に、追及権について説明しましょう。

これは、作家が有名になり、アート作品の価格が高騰することにより起こる問題です。昔の価格で売却した自分の作品が年月を経て、オークションなどで高額な落札がなされても、作家には１円も入らないという事実です。

自分の作品が高額に取引されるにもかかわらず、自分は指をくわえて見ているだけという現状を理不尽に感じるアーティストもいると思います。

反対に、そのように高額で取引されるようになったのであれば、新作を高く販売すること

日本にない「追及権」とは何か?

追及権制度とは

アートディーラー、オークションハウスなどによって原作品が転売されたときにアーティストに対して取引額の一定パーセントが支払われる制度。

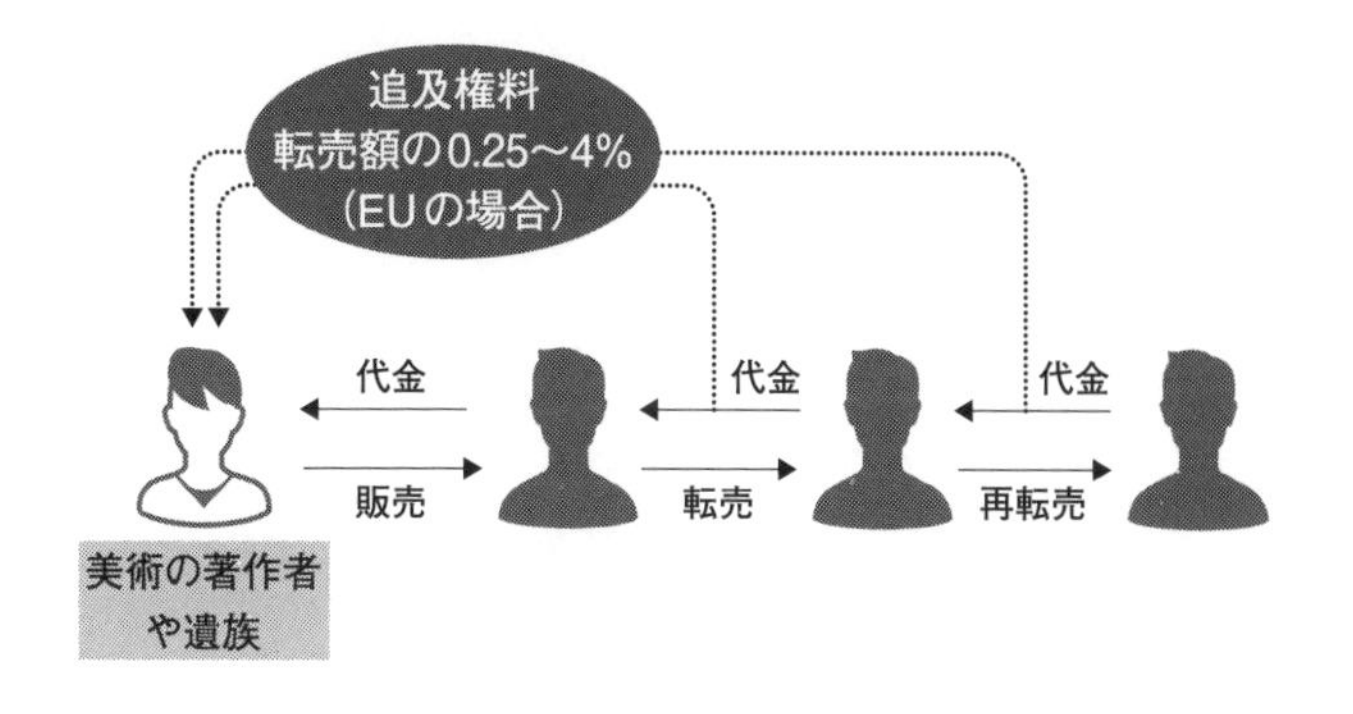

世界の状況

日本の場合：欧州のように、二次流通における追及権が法的整備されていないため、作家の新たな収益機会を生むエコシステムが必要。

出典：朝日新聞デジタル
https://www.asahi.com/articles/DA3S13860306.html

ができるので、アーティストに1円も入らなくても十分に報われているという理屈もあります。しかしアーティストから見れば、自分の作品がコレクターの世界だけで渡り歩いて、コレクターが大きな利益を享受しているのに、自分は何も得ることができないのは不公平だと思うこともあるでしょう。

今のところ、アメリカ、中国、日本ではこの追及権を認めていませんが、ヨーロッパやイギリスは、比較的この追及権には寛容で、二次流通で販売された作品の金額の4%程度を作家に還元している例もあるようです。

物々交換のハイテク版、「P2P」という可能性

ブロックチェーンの時代になって、追及権をスマートコントラクト[10]の中に組み込んでおけば、ストレスなく、取引金額の一部を作家に自動的に配分される仕組みができます。スマートコントラクトは、取引形態によって自由に描くことができるので、まさしくP2Pですべてのステークホルダーに、お金を分配することができるようになるのです。

P2Pは、取引の中間に仲介業者が入ることなく、購入者が直接お金を支払うと、自動的

に、販売した人やアーティストのウォレットにお金が直接分配されます。つまり、お互いのウォレット同士で直接1対1の取引をするという仕組みで、〝物々交換のハイテク版〟であるという考え方もできます。ブロックチェーンによりこのP2Pによる取引ができるようになると、世の中のモノの取引は革命的に進歩することになると考えられます。

通常のアート取引で、ブロックチェーンなしに直接、P2Pで取引するのは非常に難しいでしょう。しかし、アーティストとコレクターが直接つながり、両者が出会うには長い道のりがあります。

やはり、画商やギャラリストやオークションハウスがなければ、情報が手に入りません。さまざまな関係者を通してアート情報を得て、作品を確認し、その後、金銭のやり取りと受け渡しが行われるというこれまでの仕組みでは、これら一つ一つをそれぞれの取引として成立させて実行しなければならないので、さまざまな関係者の中で時間とコストが必要になります。

しかしブロックチェーンに通すことで、すべてのステークホルダーにスマートコントラクトで簡単にお金の分配を可能とし、その取引記録をブロックチェーンで確実に記録していくことで、コストと時間を大幅に削減できるのです。通常、追及権に関して、取引の際に合意してこれを実行するまでにいろいろなストレスがかかります。実行できるまでのプロセスは簡単ではありませんが、ブロックチェーン状のスマートコントラクトであれば、瞬時に解決します。

それでも現物のアートは、実際の作品の受け渡しと物流が生じて手間がかかります。しかし、NFTアートに関しては、スマートコントラクトの中で資金の分配と受け渡し、アートの受け渡しまでを瞬時に終了することが可能になります。さらに、アートが二次流通で取引される場合、追及権としていくらかの金額が作家のアドレスに振り込まれるという設定をしておけば、追及権を自動的に精算するようなシステムも稼働できます。

シェアリング・エコノミーが写真アートに価値を与える

第1章でも説明したように、コミュニティによるシェアリング・エコノミーが、次世代の資本主義の重要な基盤となる可能性を秘めています。

さらに進化すると、ＮＦＴアートはシェアリング・エコノミーにより、ブロックチェーンで管理されます。これまでは作家自身がマルティプルと呼ばれるエディション作品[11]により作品をコピーして価値付けを行っていましたが、ＮＦＴアートのマルティプルも可能になることで、デジタル上でＮＦＴアートそのものに大きな価値を見出せるようになるかもしれません。

また、写真アートは絵画と比べて、なかなか評価が上がりませんでした。たとえば、アンドレアス・グルスキー[12]という世界でも有名な写真家がいます。その作品は一点で1億円を超えますが、写真アートにおいては、なかなか10億円以上の作品は見当たりません。

それに対して絵画は、現代アートの巨匠の作品となれば、20億円以上の値段がついていますし、19世紀後半以降の印象派やそれ以降の代表的な作家の作品では、１００億円を超えるものも出ています。

写真アートと絵画の価格差は、コピーの可能性による要因が大きいと思います。写真というアートは、容易にコピーができてしまいます。そしてデジタル技術を通じて、現代の技術では、コピー作品のクオリティは日進月歩で高まってきています。

これにともない、オリジナルの唯一性が保証できないため、写真のようなコピーされやすい作品の価値はなかなか上がることはありませんでした。

ネット時代のコピー文化を予見。ウォーホル以降のアートの未来

ただ、20世紀半ば以降にアンディ・ウォーホルがコピー文化を予見し、それがまさに的中し、インターネット時代にその通りの未来が実現することになりました。

しかし、ブロックチェーンの技術は、そのコピー文化の方向性を大きく変えることになりました。NFTとして紐付けることにより、作品がコピーされても、元々のものを確定することができるため、デジタル上でもコピーはコピー、本物は本物と完全にわかるようになったのです。

さらに、NFTアートの時代になると、コレクターはメタバース空間の中に自分の部屋やオフィス、美術館を作って、自分のコレクションをそこで展示できるようになります。

メタバース上で飾られるNFTアートも、デジタル画像や映像のコピーが出回ることもあると思いますが、それは、モナリザの絵が教科書に載っているのと同じコピーになります。

所有者側で本物はこれだとＮＦＴによって規定できますが、本物とほぼ同じクオリティのコピーが出回ることはこの21世紀では避けることができません。

しかし、アート作品を観る際に、現実の世界で絵画を観るのと仮想空間で作品を観るのとでは、現物の作品の筆のタッチから生まれる力を、デジタルでも表現できるのかという課題が生じます。

現実世界の絵画をデジタル画像にしてメタバース空間に入れ込むだけであれば、現物のアートの方が勝ることは間違いないと思います。ですが、メタバース上では、これまで現実世界では表現したり体験したりすることができなかった新しいアート表現が出てくる可能性があります。メタバース時代にはメタバース時代の新たなアートや表現が生まれることになるでしょう。

シェアリング・エコノミーで「アートコレクション」が変わる

これまでのアートの価値は、作家と画商とアートコレクターが流通を担う中で、学芸員や美術館が作家やアート作品を研究し保全することにより、維持されてきました。しかし作家が亡くなったのち、研究者がいなくなると、その作家の価値が薄れていってしまいます。そして、美術館に所有されている作品でもだんだん展示される機会がなくなり、美術館の倉庫の中で静かに眠りについていてしまいます。

個人コレクターのコレクションの運命はさらに辛いものがあります。

たとえば相続の際に、美術品コレクションを次の代の人たちが引き継いでくれるかどうかという点です。残念なことに数多くの家族がコレクションを手放していくのを見てきました。オークションで売却される作品はある意味で幸運です。価値がつく作品を残せば、美術品を見る目のある立派なコレクターとして評価され、子孫にお金を残すことが可能です。しかし、市場で価値のない作品を所有していた場合には、美術館に寄託しようとしても受け入れてくれないため、結果的に素晴らしいアート作品が廃棄される運命をたどることになります。

トークンによるシェアリング・エコノミーが成立するようになると、アート価値の維持にもう一つの大きな価値の源泉が生まれてきます。コミュニティによってアートが保管され、研究され、情報が共有され、作品が保全されるようになるのです。そして、メタバースとリンクしていくとアートのアーカイブがその中に蓄積され、アートの価値はさらに上昇する可能性も出てきます。メタバース上にアート作品をトークン化して、トークンを所有する仲間を持つことで、コミュニティ経済は共同資産の価値を維持していくことになるのです。

そうすると、ある意味では、コミュニティそのものが一種の会社であったり、プロジェクトチームのようなものになります。それをDAO（分散型自律組織）と呼ぶこともできるでしょう。

DAOによるアートの所有形態は、トークンによるシェアリング経済の中では現実的な意味を持つようになり、トークンを持つすべての人たちが、自分がシェアする作品を愛し、その作品を楽しむことができるわけです。もちろんそのコミュニティが活発となり、トークンの流通が進めば、トークンの価値が上昇することにより、アートの価値が上昇し、その資産の上昇を享受することができるようになります。

さらに、アート作品がメタバース上のデジタル作品へ変わっていくと、その所有の在り方はさらに進化していきます。実際、現実の世界でのアートコレクションには、保管して維持するコストが膨大にかかります。倉庫を借りて、保険代を支払い、アート作品を展示する際にはさまざまなコストがかかります。これに対して、メタバース上で生まれるアート作品の保管は簡単です。作品はデータベースの中に保管するので、一定のコストはかかりますが、現実の倉庫と比べて格段にコストが安くなり、自分のウォレットに保管できるので安全で無駄がありません。

このように、これからトークンによるシェアリング・エコノミーとともに、メタバース上のデジタルアートの時代がやってくることになるでしょう。

「メタバース」内で変わるアーティストの定義

現代アートの最高峰としてあげられる一人に、ドイツのゲルハルト・リヒター[13]がいます。アウシュビッツ収容所の囚人たちが隠し撮りをした写真をもとに描いた「ビルケナウ」の制作でも知られています。彼の作品はオークションでも高額な値段で落札され、現存している画家として史上最高額の26億9000万円がついたこともあります。

そうした巨匠がいる一方で、SNSなどで世界的に有名になったKAWS[14]のようなアーティストも出てきて、現代はアーティスト世界の領域が大きく広がってきています。

今、グラフィックやアニメーションのようなものも「アート」として成り立ち、アートは大きな拡がりをみせはじめています。スマホを利用したり、SNSを利用したり、さまざまなメディアでアートが発信され、多種多様な試みがなされています。そして今、現実の世界で作るアートから、多次元空間とも言えるメタバース内でもアートの試みが始まろうとしています。

現実の社会でも、たとえば２０２１年の東京オリンピックを見れば、スケートボードだったり、サーフィンだったりと、身近なスポーツがオリンピックの競技に加えられ、頂点に上り詰める若いアスリートが次々と生まれる時代になっています。一方で音楽を見ても、高校生が内緒でYouTubeに上げた動画から、大ヒットが生まれるような時代になっています。

音楽に続け。アートもコミュニティが育ていく時代へ

アートの世界において、昔はパリに留学して、苦労の末にパトロンを見つけた人が、何万

分の一の確率で成功者になっていくようなイメージでしたが、今やそれは前時代的なものになってきました。

確かにかつては画商やコレクター、あるいは王侯貴族や資本家のように、売れるまでアーティストの面倒を見ていくパトロンがアート業界には必要だったのかもしれません。しかし、ブロックチェーン上のトークンによるシェアリング・エコノミーにより、コミュニティがアーティストを育てていく時代になれば、アートが好きな一般の人たちがみんなでアート市場を支え、育成し、拡大していくことが可能になります。となると、身近なところからアーティストが出てきて、大きく育っていく可能性が出てきます。

それこそファンが仲間を募ったり、自分で情報を発信して多くの人に作品を知ってもらう可能性は大いに出てきます。

たくさんの人が作品をシェアし、価値を上げていくことで、アーティストは成功し、アーティストに関わるすべての人の人生が豊かになります。その結果、アーティストの存在価値はますます上がっていくのです。

考えてみれば、今、アートで起こっていることは、音楽やエンタメの世界ではすでに主流となっています。YouTubeやTikTokを使って有名になる人たちは、誰かが仕掛けているわけではなく、それを見た人たちがさまざまな形で拡散して、その人気を確立していきます。アートでも、そのような形で有名になる作家も出てきていますが、そういった作品を管理していくために、ブロックチェーンを使ってトークンでシェアリング・エコノミーを確立すれば、さらにそのアーティストの作品価値は大きく成長することになります。そして、アートの市場規模は、これまで以上にはるかに巨大なものになっていくと思います。

そんな世の中になると「アーティストになる」という選択肢が広がり、より多くの人たちがアーティストとしての人生を謳歌することができるようになります。

売れないアーティストが一生懸命にバイトなどをしながら、やっと成功のきっかけをつかむ……。それはそれで美談ですが、シェアリング・エコノミーにより、アーティストとして生きていきたいがそうもできない、数多くの才能のあるアーティストが世に出るチャンスを得ることも可能になります。

まさに、アートを真に愛する人たちの領域が拡がることで、アート市場は大きく成長する可能性を秘めているのです。

多くの人たちとの作品共有から生まれる新たな人間関係

さて、シェアリングの何が楽しいかといえば、それは1人で一つの美術品を持っているのと比べ、数多くの人たちとその作品を共有することにより、そのコミュニティのコミュニケーションが活発化し、情報を共有することで、より深い満足感が得られることです。

当然、コミュニティが成立すると、その中でのさまざまなプロジェクトも可能になります。たとえば、ピカソのキュビズム[15]の作品のトークンを保有してシェアリングしているオーナー同士で情報交換し、ピカソが育った場所に行くツアーを企画したり、マドリードのソフィア王妃芸術センターにある『ゲルニカ[16]』を観に行くツアーに参加したりして、コミュニティに関わるすべての人たちの人生の質を向上することができます。

実際に現地へのツアーに参加するとなると、これがまた時間とお金を要して、大変な旅をすることになります。しかし、コミュニティのイベントをメタバース空間で行えば、時間とお金をセーブした楽しい旅が可能になります。仮想空間内を訪れ、アバター仲間と一緒に遊ぶことができるようになるのも、人類の新たな進化の在り方かもしれません。

とはいえ、人間同士が直接会わず、仮想空間内でやり取りをするようになると、人間関係がどんどん希薄になっていくのではないだろうか……。確かにコロナ禍で、皆がZOOMなどを使ってやり取りする状況を見れば、そんなふうに感じる人も多いかもしれません。

しかしメタバース空間で人と人とが距離の制約を超えて会うことは、リモートの通信とはまったく違う、別の体験を皆で共有する関係性をうながすことになります。

美術品のシェアリングは未来のプロジェクトを生み出す

美術品の分割所有ということは、現在でも不可能なことではありません。しかし、美術品の所有権を分割し、証券化したものを分散して管理するというのは、現実的になかなか成り立たないのではないかと思います。アートの価値は長期にわたる時間軸が必要となるので、アート価値の維持と上昇を狙う美術品の分割所有は、その間の管理の継続維持が大変です。ただ単なる分割所有と管理とでは、美術品投資が主眼となり、コミュニティにより、その作品と自分との人生の関わりが希薄になってしまいます。

しかし、美術品の分割所有とシェアリングは、まったく別のものです。シェアリングを通して、ブロックチェーンで管理するシェアされた美術品を皆で共有し、管理し、維持して、育てていくという、一種のプロジェクトを生み出すことになるのです。それは新しいベンチャープロジェクトが誕生するようなもので、ゲーム内の冒険が始まるのに似たワクワク感があります。しかもそのトークンの価値が上がれば、実際に資産価値が上がるというメリットまでついてきます。そんな冒険を一緒にするコミュニティメンバーが、それこそ国や宗教、民族の壁も越えて、ゼロベースでアバターが接触して成り立つような新しい人間関係が生まれてくる可能性があるわけです。

むろんＷｅｂ３の時代が実際にどうなっていくのか、まだ始まって間もない世界の未来図は、現状では誰も描けていないのが真実です。インターネットが普及したのは１９９０年代の後半ですが、今のように、皆がスマホを使ってスワイプしている時代など、30年前はおそらくほとんどの人が予見していなかったと思います。数十年の短い間で、通信やＩＴは世の中の構造を完全に変えてしまいました。

サトシ・ナカモトの論文で２００９年にはじめてビットコインのジェネシスブロックが生[17]成されてから、まだ13年の歴史しか経っていません。ブロックチェーン技術が社会に実装され、メタバース空間で皆が簡単に利用し、新たなライフスタイルを確立するまでには、まだまだ時間がかかるでしょう。しかし、２０５０年にはブロックチェーンによる新たな資本主義が浸透して、メタバースの中で過ごす時間も含め、人類が新たなライフスタイルを構築していることと思います。その大きな変化が、今、始まろうとしているのは間違いありません。

メタバースの時代にこそ存在感が増す美術館

これまでＮＦＴやメタバース時代のアートについて述べてきましたが、実際にそうした時代になったとき、絵画や彫刻、オブジェといったリアルな作品がなくなってしまうという訳ではありません。

むしろそのような時代になることで、リアルなアート創作も活発になっていくと思います。というのも、Ｗｅｂの発展とは関係なく、リアルなアートをトークンによってシェアリングすることで、その作品を取り巻くコミュニティが活発化します。そしてその流通も活発化することで、作品の価値が維持され、より長くその作品が生きていく可能性を引き出すことができるようになるからです。

現在、日本では、美術館などのアート施設の存続が危機に直面しています。国立の美術館はともかくとして、経営の危機を迎えている地方の美術館や私立美術館などです。新型コロナウイルスの世界的流行以降、人は外出を控える傾向が定着し、インターネットを利用してリモートでさまざまな行動を完結できるようにしています。そのため、わざわざ美術館に出向くのも大変で、美術館等のアート施設も集客の問題は深刻です。

しかしシェアリングという概念によって、美術館の在り方は変えられる可能性があります。つまり、美術館に所蔵する美術品をトークン化してシェアリングすることにより、これまで美術館が所蔵してきた作品に、その作品をシェアするコミュニティを作ることで、作品の維持管理と美術館の運営予算を調達することが可能になります。

となると、美術館は作品を所有する必要がなくなります。所蔵作品をトークン化することにより、美術館で展示される作品に数多くのシェアリングによる所有者ができて、そのコミュニティがその作品を支えていくことになるのです。このコミュニティのトークンホルダーにとっても、作品の現物は今までどおり美術館で展示され、保管されるので安心です。むろん美術館には、観客も訪れるでしょう。彼らにはわかりやすく、作品の所有形態とコミュニティの詳細、また、トークンの詳細とその取引のプラットフォームをQRコードにしておけば、一般の来場者でもその作品が気に入ればその場でトークンを手に入れて、その作品をシェアする所有者になることもできます。トークン経済を実現することによって、シェアリングという所有形態を通してアート作品の所有形態を変え、さまざまな作品のトークンを保有する数多くのコレクターの力で美術館が支えられていくことになるはずです。

このようにWeb3時代のブロックチェーンで管理されるトークンによるシェアリング・エコノミーは、新たな資本主義を牽引し、世界の経済構造そのものを大きく変える可能性を持っています。それはアートや美術館に限った話でなく、経済全体が大きな変革を迎えることになるでしょう。

次章ではもう少し広い視点から、メタバースによって起こる大きな変化を考えてみたいと思います。

1 『アートのお値段』／ナサニエル・カーンが監督した「アート業界とお金」を題材にしたドキュメンタリー映画。2018年の作品。

2 本画／完成した絵画作品のこと。

3 オークショニア／オークションを開催し、運営する仕事をする人。競売人。

4 メディチ家／フィレンツェの大富豪で、15世紀にはルネサンス芸術・学問の保護者として知られた一族。

5 ミケランジェロ／ルネサンス期を代表する彫刻家。「ダビデ像」を代表とし、「最後の審判」「アダムの創造」など、画家としても活躍した。

6 ギャラリスト／美術商。

7 ビル・ゲイツ／アメリカの実業家。Microsoftの共同創業者。1955年生まれ。

8 ジェフ・ベゾス／アメリカの実業家。Amazon.comの共同創設者。1964年生まれ。

9 オークションパドル／入札時の番号札。

10 スマートコントラクト／ブロックチェーンに保存されたプログラムのこと。所定の条件が満たされた場合に自動的に実行され、契約が成立する。

11 エディション作品／分母が限定数、分子を通し番号として、ナンバリング表記された限定作品。

12 アンドレアス・グルスキー／ドイツの写真家。1999年に撮った写真「ライン川Ⅱ」がPost-War & Contemporary Art Evening Saleで430万ドル（約3億3400万円）で落札され、地球上に存在する写真の中で史上最高額の値段が付けられた。

13 ゲルハルト・リヒター／ドイツの画家。1932年生まれ。世界で最も注目を浴びる重要な芸術家の一人で、ドイツ最高峰の画家と呼ばれている。抽象画「ビルケナウ」シリーズを制作し、ベルリンのナショナル・ギャラリーに永久貸与された。

14　KAWS／アメリカの現代アーティスト。1974年生まれ。本名はブライアン・ドネリー。ビビッドな色使いとポップなキャラクターの目に「××」マークを施した作風が特徴。

15　キュビズム／20世紀初めのパリで、パブロ・ピカソとジョルジュ・ブラックによって創始された新たな美術表現の試み。一つの視点から作品を描いていたのに対し、さまざまな視点から見た面を一つのキャンバスに収めている。

16　ゲルニカ／スペインの画家パブロ・ピカソがスペイン北部のゲルニカ地方へのドイツ空軍による無差別爆撃への抗議として、1937年に描いた絵画、およびそれと同じ絵柄で作られた壁画。

17　ジェネシスブロック／ブロックチェーン（32頁参照）における最初のブロックのこと。

第3章

アートが変えていく、経済の未来

資産家たちも注目の
最新テクノロジー

資産家たちがブロックチェーンに注目する理由

資本主義の世の中において、富の移動には2つのパターンがあります。

一つは富の相続で、世代から世代へ移転していきます。もう一つは、技術革新により、これまでのビジネスの勝者の富が、新たなビジネスの勝者に移転していくパターンです。

長い目で見ると、世の中は成功している覇者が、資金力を含めて競争力を駆使していくと、最終的に富を総取りしていきます。そして蓄積した富を後継者たちが維持・拡大のために努力していくことで、富は富裕層の中で蓄積されていくのです。

たとえば、サム・ウォルトン[1]という経営者はスーパーのウォルマートを作って成功しました。資産は「ウォルマートファミリー」が管理する形でさまざまな業界の企業、金融や株式、不動産などといったものに分散されて投資されています。

世界はいまだに、数多くの資本家ファミリーが巨額の資産を運用してファミリーオフィスを運営し、世界中の経済を担っています。だからこそ、彼らにとってもブロックチェーンはまったく無視できないものになってきました。というよりも、むしろ富を未来に継承させたい人こそ、ブロックチェーンが最強の推進役になる可能性もあります。

本書で幾度か説明しましたが、ブロックチェーンは法定通貨と異なり、人間そのものが運営する国家の信用をベースに発行されているものではありません。お金を取引する際に、その取引記録が改ざんされない仕組みが構築されていることが信用として成り立っているものです。それゆえに、富の保全形態としては安心して利用できるものです。

また、その仕組みそのものが未来の資本主義を担う記録システムとして、重要なインフラを担えること。そして金融システムを含めて、これまで依存してきたシステムが疲弊してきた事実を鑑みて、ブロックチェーンを利用する新たなインフラの可能性に期待している世界の投資家たちがいます。

また、ブロックチェーン上の暗号資産は、「トランザクション」が容易にできることも魅力です。トランザクションとは「商取引」という意味にとらえていいでしょう。たとえば金庫の中に1億円があるとして、そのお金がどういう経緯でやってきたものかを知るには古い記録を辿っていくしかありません。

これは通帳上のお金も同様で、結局のところ法定通貨の世界では、人間が管理するシステムの中で過去の記録を遡らない限りトランザクションがわかりません。となると、記録されているサーバーがクラッキングされたり、破壊されたり、データが抜き取られたり、誰かに改ざんされたりすることにより、その記録を正確に知ることができなくなる場合が生じます。最も単純なリスクは、これまで記録を保管していた担当者が変わり、引き継ぎがうまくいっていなかったために過去の記録が消えてしまうという事態が生じてしまうということです。それは人間がコンピュータを利用して記録を管理していることから起こる事態ですが、ブロックチェーンではそのようなストレスは一切無くなります。

ブロックチェーン上の暗号資産は、これまでの取引がすべてブロックチェーン上に書き込まれているため、トランザクションのＩＤ（トランザクション・ハッシュと呼ばれています）がわかれば、すべての取引記録を把握することができます。また、このブロックチェーンは取引の認証をマイニングやステーキングというやり方で行うため、フルノードと呼ばれる世界中にある端末にブロックチェーンが保有されています。一つのコンピュータが壊れても世界中のどこかにあるフルノードにより、それまでのデータを失うことはありません。

これまでの資本主義の基幹インフラがさまざまな要因で高コスト構造となり、さまざまな弊害が浮き彫りになっている現状が、ブロックチェーンというインフラが世界の富裕層たちに注目され始めている理由なのです。

新たな金融システム「トークノミクス」とは

このように、ブロックチェーンを使った新たな経済金融システムの可能性が生まれてきました。

まず、そのキーワードとなるのが、前章でも出てきた「トークン」です。

トークンとは、ブロックチェーンによって信頼性が担保され、その記録が改ざんされないための技術です。

今の世界では偽札で国家予算を作っている無法な国もあるほど、紙幣には偽札リスクがあります。ですが、ブロックチェーンで管理されるトークンは、偽物が出回るリスクはありません。ブロックチェーンの設計によっては、脆弱性（ぜい）が存在しているトークンの中に、偽トークンが生成されてしまう危険性を完全否定はできませんが、ビットコインは堅牢に設計されており、改ざんのリスクはゼロと言えるでしょう。イーサリアムもそのような問題を今まで起こしたことはありません。ビットコインやイーサリアムのようなしっかりと設計されている暗号資産は、法定通貨として利用されている紙幣よりも案外、信頼性が高い資産となってきているのです。

しかし、ビットコインやイーサリアムにしても、盗難リスクは法定通貨の現金と同様に起こりえます。デジタル世界で起こるクラッキングには、いつでも注意を払わなければなりません。クラッキングとは、コンピュータのユーザーがセキュリティを潜り抜け、データを書き換えたり盗み出すなど、悪意のある行為をすることです。クラッキングは、現実の世界でも財布を盗むのと同じことを意味しています。

法定通貨と異なるのは、これまでのトランザクションの記録が残っているので、盗まれたコインやトークンがどこのウォレットに移されたのかがわかるという点です。ただ、ウォレットのアドレス所有者はわかりませんが、盗難にあったビットコインがどこに所在するのかがブロックチェーン上でわかるというのは、盗難されたものを捕捉していくことができる点で、法定通貨の紙幣よりも暗号資産の方が有利であるとも言えます。

このようなブロックチェーンを利用して運用されるトークンで作られる経済圏をトークノミクスと呼び、そこでできている環境をエコシステムと呼びます。

なお、エコシステムは日本語では生態系と訳され、生物や植物がお互いに助け合って生きている環境のことをいいますが、トークノミクスにより成り立つプロジェクト自体をエコシステムと呼んだり、トークノミクスを利用したメタバース内に作られる経済圏をエコシステムと呼んでいます。

現実の世界では、居住や旅行先の国で定められた法定通貨で生活をしていく必要がありますが、メタバースやさまざまなシステムの中のプロジェクトで利用されるトークンの世界は、法定通貨と切り離された独自の経済圏を作ります。とくに、法定通貨はこれまでの資本主義の制度や仕組みに即して、さまざまなルールや手続きを経た社会の中で成り立っています。資本主義が成熟しつくしている社会ほど、法定通貨で維持する社会コストは年々高くなっていくわけです。しかし、そのような制約を受けず、ゼロスタートでルール作りをして運用していくトークンの世界は効率的で、これから大きく成長していくと考えています。

また、既存の金融システムや記帳システムの非効率性から考えても、ブロックチェーンにより新たな金融システムが誕生するだろうと考えます。そこでは、スマートコントラクトにより、Web3の新たな決済システムと記帳システムが稼働していくことでしょう。

私としては、こういう流れに移り変わるタイミングで、既存の仕組みもブロックチェーンを利用した新たな仕組みを採用せざるを得なくなり、新たなトークンエコノミーの新たな資本主義に移行していくと考えています。実際に、ビットコインが生まれてから、徐々にではありますが、「富の分散化」が起こり始めています。

世界の富は、どこに向かっているのか?

現代の資本主義における世界の富は、国家運営の制度を利用して、競争力のある強い人へと流れていく仕組みになっています。そして、富の所有者の変遷は時代と共に変わります。その時代時代の新たな技術革新で、競争力のある仕組みを見出したものが勝者となるのです。現在の世界長者番付のトップに入る人が、30年前にもランキング入りしていたケースはあまりありません。現代の資本主義においては、強者はその資本力を利用して、さらに富を積み上げていくので、富裕層が長く富裕層として君臨し、社会を支えているのも確かなことです。

ロスチャイルド家[2]などのように、18世紀の頃から富を貯えて、長く世界の金融やさまざまな産業の中核にいるような財閥が世界にはいますが、技術革新が起こり新たなインフラが登場する際には〝新たな富裕層〟が生まれます。

世界の富は競争力のある人のシステムが総取りするのが当たり前で、負け組に入ってしまうと富が回ってくることはありません。歴史を振り返っても、鉄鋼、石油、自動車、流通、ＩＴ……などと、新たな技術革新により強い産業が出てきて世界を支配し、また新たな富裕層が生まれて、強い業界で強い企業を経営する者が世界の富を独占することになります。

暗号資産市場に新たな「勝ち組」が生まれる？

繰り返しとなりますが、21世紀に入ってからは、ＧＡＦＡＭと呼ばれるGoogle、Amazon、Facebook（Meta）、Apple、Microsoftが世界のインフラを主導し、私たちの生活の中に入り込んだ勝ち組となっています。

ところが、このＧＡＦＡＭ支配の世界は便利であるものの、違和感を持つ人たちが出てきました。すべてのネット取引は、さまざまな自分の情報を書き込み、ＩＤとパスワードを入れ込んでから実行するので面倒臭いことこの上なく、利用するＩＤやパスワードもたくさんありすぎて、これらを管理するのも大変な状態になってしまいました。そして自分が登録した情報やネット上で購入した記録はすべてＧＡＦＡＭに吸い上げられ、個人のプライバシーは一部の大企業に握られている状態になっています。

インターネットをつなげると自分の年齢に見合った広告が出てきたり、過去に興味を持って検索した関連の広告に溢れて、思わず消費が促されています。ＧＡＦＡＭの仕組みは大量生産、大量消費を助長し促進するシステムになっていますが、大量消費されたものがいずれ大量廃棄につながる部分には目を背けて、消費による利潤の追求が中心となる仕組みになっているのです。

そういう流れの中で、ブロックチェーンとＷｅｂ３という新たな技術とコンセプトができたと言えます。この動きは２００９年から始まりました。そして、２０１７年からは本格的に開発やプロジェクトが拡大して、今、徐々にこの新たな資本主義の構築に向けて、世界の富も移転し始めています。ここ最近では、明らかにブロックチェーン関係への企業やプロジ

Web3は貨幣・情報以外のアイデアや価値も分散化する

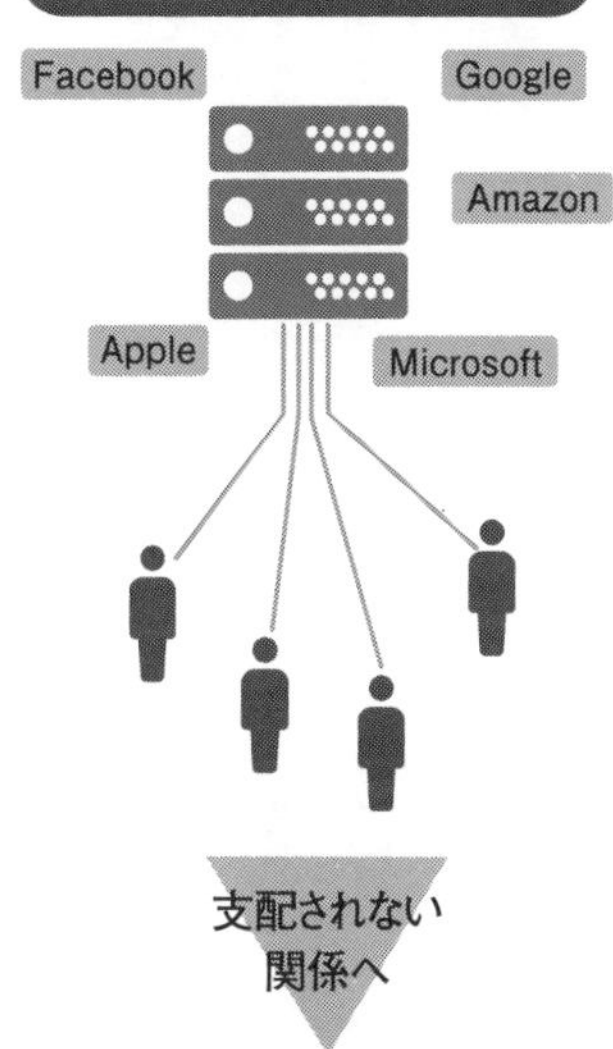

中央集権型

・一部の大企業や大資本家が貨幣や情報といった「富」を独占所有

・GAFAMが貨幣や商流、情報、文化の多くを独占支配

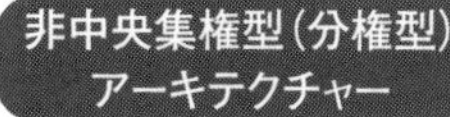

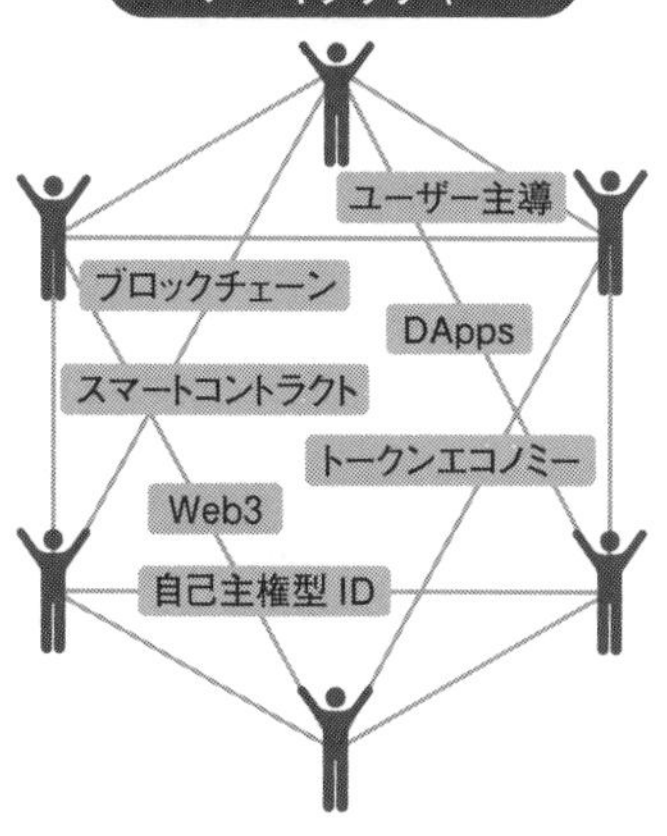

分散型

・「富」は貨幣や情報といった意味にとどまらず、アイデアや人脈、作品や人物の評価といったものへと分散、拡散していく。アーティストの評価軸も多様化

ェクトへの投資が増えてきています。

「機関投資家」で検索すると、ゴールドマンサックスやバークレイズといったアメリカの中心的な投資企業が、仮想通貨取引企業に積極的な投資をし始めているのがわかります。驚くべきことにゴールドマンサックス[3]は、2021年までは暗号資産完全否定派[4]でしたが、今は掌を返したようにブロックチェーンへの投資を進めています。たとえばS&P[5]という信用機関が暗号資産の格付を行うというように、アメリカという国家自体が自分の国の中に暗号資産の仕組みを取り込もうとする動きが加速しています。

しかし、2021年に大きく拡大した暗号資産市場は2022年で一転して、冬の時代に転じます。暗号資産業界はさまざまなスキャンダルに見舞われました。2022年5月には、アメリカドルのステーブルコインを組成して大きな時価総額を誇っていたテラ（UST）[6]が、その仕組みの脆弱性を突かれ一夜にして価値がゼロになり、一瞬にしてアンステーブルコインと化しました。さらにその煽りを受けて、大手暗号資産ヘッジファンドの「Three Arrows Capital（3AC）[7]」が破綻します。きわめつけは、2022年11月に、これまで〝暗号資産冬の時代の救世主の一人〟として期待を集めていたサム・バンクマン・フリードが率いるＦＴＸが破綻し、お粗末なグループの内情が露見。彼自身も逮捕されるという事態にまで発展してしまいました。

これらのスキャンダルの余波は２０２３年に入ってもまだまだ続き、これからも世界的に有名な会社やプロジェクトが破綻することもあると思います。しかし産業の黎明期は、さまざまな事件やスキャンダルを乗り越えて、より健全な産業が構築され成長していくものであると思います。

世界的な「富の分散化」の結果、日本の富は国外に流れている

世界の富がブロックチェーンに注目している中で、日本の富裕層は今のところ、暗号資産のようなものに興味を持つという構図は、世界に比べて圧倒的に低いという残念な状況があります。

暗号資産に限った話ではありませんが、いまだ日本には「Ｗｅｂの世界」そのものにも興味を持たない人が多くいるのではないかと危惧しています。

しかし、2022年10月には、岸田文雄内閣総理大臣自ら、所信表明演説でメタバース(仮想現実)やNFT(非代替性トークン)などのWeb3サービスを取り上げ、「DX(デジタルトランスフォーメーション)への投資」の目標の一つとして、「Web3サービスの利用拡大」を掲げました。にも関わらず、若い層も含めて、まだWeb3は浸透しているわけではありません。大学のWeb3研究会の学生の中でさえ、暗号資産ウォレットを持たない人も少なからずおり、驚いてしまいました。

IT格差が年齢差により大きくなってきているのが現状ですが、Web3になるとなおさら、別世界の様相です。日本の場合、ブロックチェーンのような最新の技術革新に遅れることにより、国力そのものが低下し、また、円安になってしまうことによって、日本の富が海外へ流出しています。知らないうちに、富が日本から国外に移転していることになっているのです。日本の高度成長時代に積み上げ、世界第二位の経済大国にまで上り詰めた〝日本の富〟が、円安により、気づくといつのまにか半分以下の価値になっているのです。

Z世代にはWeb3、メタバースがよく馴染む

暗号資産の世界では、若いエンジニアたちがブロックチェーンを利用した暗号資産を通じて、大きな富を得るようになっています。それには二つの理由があるでしょう。

一つ目は、新たなイノベーションによる価値の創造が行われて、暗号資産の価値が上昇する、と考えているからです。

二つ目は、法定通貨の価値が下落しているという状況が起こっているため、富の移転が始まっているという見方もあります。

本来、富の移転は相続により引き継がれていきます。高齢者たちが築き上げてきた富を、その子孫が引き継いでいくわけです。その高齢者の富は、法定通貨をベースに蓄積されたものですが、法定通貨の評価が下落してきた、すなわち、法定通貨を発行する国の信用力が低下してきたため、国の信用以上に安心できる資産として、ブロックチェーンで取引できる暗号資産の価値が上昇してきました。

ある意味、国の信用をベースにした法定通貨で成り立つ現在の資本主義に傷が生じ、そこ

から富が流れ出していく状況です。そんな中、その富をブロッチェーンをベースにした暗号資産が受け止めているという構図になります。

現在の資本主義への信頼性が薄らいできている裏返しとして、暗号資産が評価され始めました。この暗号資産を取り扱える人たちは、高齢者よりは若年層のエンジニアが中心となるため、若いエンジニアに富が移転している状況が起こっています。

さて、「Z世代」と呼ばれる1990年代から2012年くらいまでに生まれた世代は、富に対する考え方が、その上の世代と大きく異なっていると言われています。

モノに執着することがなく、ブランドやアパレルにもあまり興味がない。車の所有もこだわらず、レンタカーを利用して便利であればいいと実利を優先する傾向にあります。ただ、コミケなど自分の趣味の世界でのイベントには参加するのが好きで、友達と一緒に人生の有意義な時間を過ごすことを優先しています。

このZ世代が、ある意味で最もシェアリング・エコノミーに馴染む世代ではないかと思います。モノへの執着がなく、今、この時間を豊かに有意義に過ごすことに人生の意味を見出している世代なので、当然といえば当然でしょう。

NFTを所有することに関する意識調査

所有したことのあるNFTのジャンルとは?

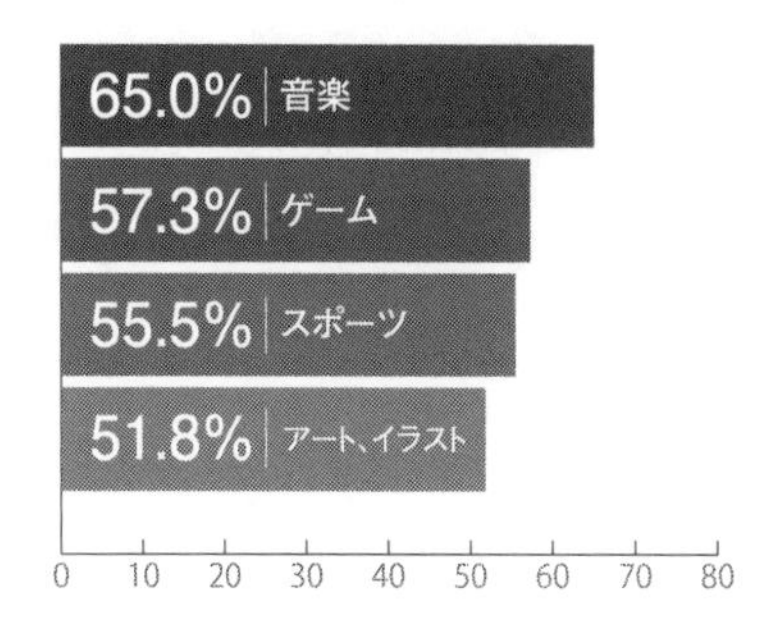

現在NFT所有は、音楽、ゲーム、スポーツ、アート、イラストとバラエティ豊かな分野。NFTや仮想通貨に抵抗がなくなることに期待。

NFTを所有する目的とは?

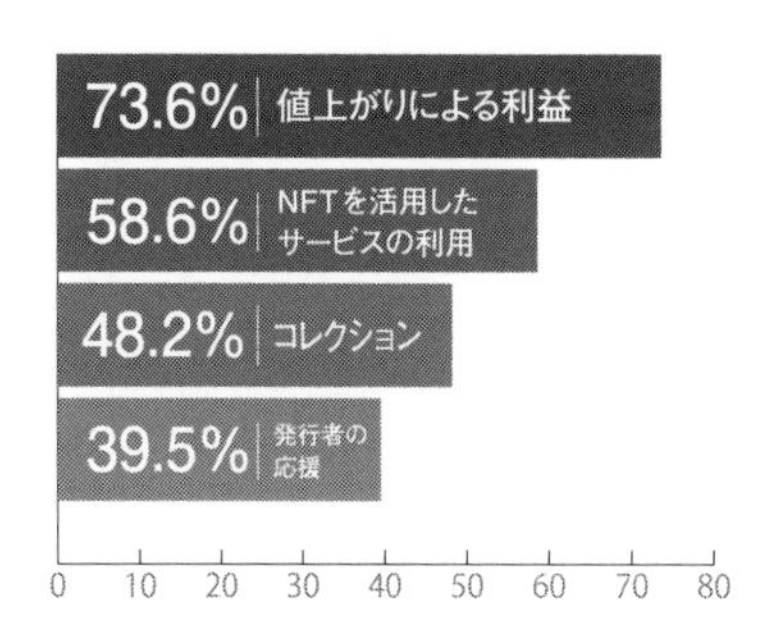

「値上がりによる利益」が73.6%を占める。
人気のNFTは元値の10倍以上の値がつくこともあり、投資目的での購入が圧倒的。

調査：株式会社ゼロアクセル（2023年3月）

たとえば「車」を考えると、効率性で言えば、すでに都会で車を持つ必要はなくなっています。ただ、ときどき遠出をする際に車があると非常に便利なので、そのたびにレンタカーを借りた方が経済的合理性が高く、無駄がありません。しかし、レンタカーも長所短所があり、共同で車を所有する「カーシェアリング」という発想も出てきます。

Z世代はカッコいい車を所有したいという欲望がなく、車は便利に使えて、快適に移動したり、旅ができればいいので、ベンツやフェラーリなどの高級車は不要です。ただ「出かけるのに車が必要だ」というだけで、どんな車種でも「それがあればいい」という発想で生きているのです。

そのようなZ世代には、メタバースやトークノミクスのエコシステムがよく馴染みます。その世界では、トークンでシェアリング・エコノミーを実現しながら、エコで無駄のないライフスタイルが実現できるからです。

生存環境への危機意識により物欲から決別する若者たち

60年代、70年代、80年代を生きてきた人たちは競争意識が高く、組織の中でトップに駆け上がるためにプライベートを犠牲にしてでも馬車馬のように働き、周りの人間よりも抜きん出た存在になっていくことをよしとしてきた人も多いことでしょう。お金持ちになるために一生懸命頑張って、ごく少数の成功者になりたいという願望を抱く人たちが多くいる戦後世代、団塊の世代、バブル世代などと言われた人たちです。この世代の人たちは、戦後の日本経済を支えてきたという自負が少なからずあり、家族を犠牲にしてでも社会のために尽くすことを誇りに思う世代でもあります。

しかし、今の子供たちには、あの世代にはなかった危機意識があります。それは、親たちの世代のせいで、地球が環境汚染で絶望的な状況に陥り、自分たちが親になったときには十分な食料がないかもしれない、人間が生きていく環境がなくなっているかもしれないという深刻な危機意識です。ある意味で諦め的な境地とも言えます。

つまり、お金を儲けて成功者になり、豊かな暮らしをしたとしても、人類が滅びてしまっては意味がない。だから、人類が存続するような生き方はどのようにすればいいのかを冷静に考察して実践しているのです。大人になって本当に空気中の酸素濃度が低下して人間が生きていけない可能性があるのであれば、今という時間を最大限意味のあるものにするというのが彼らの考え方なのです。

だからこそ、Z世代や今の10代は、物欲とお金に支配される世界からは決別して、仲間たちと有意義な時間を過ごすことに集中します。メタバース内で所有するものはNFTであり、ある意味電気信号の合成であり、ゴミを出すことなく、価値あるものをその価値を理解する人たちとの間でシェアして、ゲームやイベントや仕事をすることができる。メタバースの世界は、そんな彼らにピッタリであることは確かだと思います。

すでにマインドセットからして、これからの世代はWeb3の世界に合っているのです。

大量消費、大量廃棄の社会に異を唱える人の夢＝メタバース⁉

メタバースの世界を描いた映画に、２０１８年にスティーヴン・スピルバーグ監督が作った『レディ・プレイヤー１』という作品があります。この中で描かれていたのは、メタバースの世界を訪れる数多くの参加者たちが、その世界を楽しむ中で、仮想空間の中のオーナシップを巡るゲームを開始します。コミュニティの中で富にこだわらず、自由で楽しい時間を仲間たちと過ごしている人たちと、それとは逆に、現実の社会のように勝者が富を独占して、その中の人たちも支配しようとする人たちとの間で起こる〝戦い〟を描いている映画です。

この争いは、おそらくは現実世界のように、支配したい国家や独裁者と、自由を渇望する人たちの世界との対立をも反映しているのでしょう。

現実世界の国家体制は、独裁者が君臨している国々だけではなく、自由を標榜している国ですら、現実問題として、中央集権的な国家運営のもとで制度が組み立てられています。そんな中、サトシ・ナカモトが提唱したＰ２Ｐの分散化された社会を夢見てプロジェクトを進める若いエンジニアたちのせめぎ合いが繰り広げられています。

ただ、現代の資本主義社会において、勝者の独占が起こる構造は利潤の拡大が競争力の証明であり、大量にモノを生産し、大量にモノを買わせ、それによって得たお金でさらに大量にモノを作って、大量にお金を得る構造になってしまっています。

その結果、利益を追求することが評価される経済構造になっており、そこから出るゴミや廃棄物を処理するコストには目をつぶり、結果的に地球環境が汚染され、人類が危機にさらされても、その活動を止めることができない〝精神状態〟に追い込まれています。

メタバースに夢を見出して、開発を進めている人の中心はやはり、そんな大量消費、大量廃棄の社会に異を唱える人たちなのです。

仮想空間ではあたかも現実のように、その気になれば、あらゆるモノに囲まれた世界を体現できますが、現実の「モノ」は必要ないため、ゴミの排出は最小限に抑えられるのです。

スポーツカーでサーキットを走ることも、プライベートジェットで海外へ出かけることも、大自然の中で過ごすことも、将来はメタバース内で可能になります。そこにかかるさまざまな現実世界のコストと仕組みは必要がなく、ガソリンもいらないし、「モノ」を消費する必要もないのです。

ブロックチェーンが取り組むべき課題

もう一つ重要なことは、ブロックチェーンそのものが、現実世界の記録媒体を代行することにより、これまで膨大な管理事務コストが必要であったさまざまなペーパーワークが激減する可能性があるということです。

まず、銀行の預金通帳に記載してあるようなお金の管理はブロックチェーンに書き込まれ、銀行の窓口でさまざまな手続きが必要になることはありません。ブロックチェーン上に書き込まれているものを検索すればすぐにわかるようになるため、さまざまな情報を大掛かりに管理するコストはなくなっていくことになります。すべての取引がブロックチェーン上に書き込まれていけば経理業務も楽になっていきます。人間が管理するとミスも起こり、担当者の引き継ぎがうまくいかないと、過去の記録やデータが誰も取り出せなくなるリスクもあるため、システムと人的コストが膨大にかかります。

これに対して、ブロックチェーンは、すべてのトランザクションがブロックの中に詰め込まれて、そのトランザクションＩＤを検索すればすぐに過去のデータを正確に取ることができるので、無駄もなくなり、信頼できるデータを見ることができます。ただ、現状ではそれを簡単に検索して見ることができるＵＩができあがっているわけではなく、1クリックですべてが見られる状況にはありません。この先、さまざまなブロックチェーンプロジェクトが、私たちにより便利なユースケース[8]を作り出してくれることになると思います。

一方で、ブロックチェーンが取り組むべき課題の一つにプライバシーの問題があります。すべてのトランザクションがＩＤさえあれば見えてしまう状況をいかに改善するかは、これからの課題です。

また、おそらく現在の世界で「仕事」とされているものの多くが必要なくなります。すると「大量失業」や「大量ホームレス」を懸念する経済学者も出てくると思いますが、果たして人間は、そこまで働かなければ生きていけない世界なのかということについて再認識すべきではないかと思います。

人間にはもっと自由で、もっと自分の好きなことをする時間があってもいいはずです。それが新たな資本主義の目標であり、夢でもあります。

仕事が変わる新たな資本主義の目標、夢とは？

現代の資本主義で、世界中に廃棄されている食料がきちんと分配されれば、世の中の飢えの問題はなくなると言われています。世界は適正な分配がなされていないのです。理論的にはわかっていても、いざ現実社会で適正な分配を行うことは、現在の資本主義ではほぼ困難です。

適正な資源の分配にブロックチェーンは一つの有効なツールとなるはずです。食料が無駄なく分配され、世界中に行き渡る。そしてこれまでの無駄な事務仕事が削減できれば、人間の自由な時間は広がるはずです。適正な分配がなされていれば、会社に朝9時に出社して夕方6時に退社して毎月月給をもらう必要がなくなります。自分の自由な時間をメタバースの中で利用し、さまざまなことが実現できるようになり、さらに効率的な自己実現が可能になります。

出社時間が縮小されると、私たちは自分のやりたいことができる時間が増えていくのです。そして仕事そのものも事務所にまで行く必要はなく、メタバース上の事務所で仕事が完結するようになるかもしれません。そうすると、現在のようなオフィスビルは必要ではなくなり、個々が生活する環境が充実するようになり、自分のプライベートルームからメタバースで世界中にアクセスできるようになります。

人生の3分の1をメタバースで過ごす

シェアリング・エコノミーとなり、モノが消費されない社会になれば、それほど多くの経済活動は必要ありません。今のようにお金をあくせく稼ぐ必要がなくなり、自分の意思で、自分の好きなことを自由にすることができる時間が増えることになります。結果的に多くの人は仕事の時間を削減し、余裕を持った生活の中でメタバース空間を利用して、さまざまな活動ができるようになります。

私が思うに、30年後の世界では、多くの人が24時間のうちの8時間程度をメタバース内で過ごし、その中に仕事の時間も入ってくるのではないでしょうか。残りの16時間のうち、8時間程度を現実の世界で散歩をしたり、食事をしたり、エクササイズをしたり、旅行をしたりして、趣味に時間を費やし、残りの6時間程度が睡眠ということになります。

となると、世界の産業構造と都市の構造は大きく変わります。

社会を支えるインフラも、ブロックチェーンをプラットフォームに、AIやロボットが人間の生活を支える社会になります。人間自身はシェアリング・エコノミーを利用しながら、メタバースの中で効率的なライフスタイルを楽しむようになり、充実した人生を送る。そして、競争をし、利益を追求してお金持ちとなることを目標とする人生ではなく、真に人生を楽しむための時間を大切にする時代になっていくのです。

世界で初めて暗号資産が法定通貨となった国も

さて、次に通貨の信用について話を進めてみます。

日本において「円」という通貨が使われているのは、日本の政府が「円」は国が保証している通貨として、日本国内で安心して使用できるというコンセンサスがあるからです。

その国の通貨が信頼できるというのは当たり前のことのように思えますが、世界ではまったく信用できない通貨もあり、持っていてもあっという間にその価値が下がっていく通貨もあります。

たとえば、私が経験したミャンマーで始めたマイクロファイナンス事業でのことです。現地通貨のミャンマー・チャットでお金を貸し付けて、金利と元本が回収できるようになっていました。しかし、ミャンマー・チャット自体が、ドルに対して毎年10％以上下落していたため、金利分がついてもドルベースでは元本すら回収できるかどうかのリスクがありました。マイクロファイナンスとして、現地の人たちを支援するために、できるだけ金利を低く抑えたかったのですが、日本よりも相当高い金利を想定しなければビジネスとして成り立ちませんでした。


それ以外の実例を見てみましょう。

たとえば、中南米の政情不安定な国では、その国の通貨が脆弱で、国民ですらドルやビットコインを信用する国まで出てきています。とくに2021年には中米のエルサルバドルがビットコインを国の法定通貨にする法案を通過させて、世界で初めて暗号資産を法定通貨とした国となりました。

実物資産が法定通貨よりも評価されることも

さて、日本はといえば、親方日の丸という言葉もあるくらい、国民は日本の政府を信頼し依存しています。しかし、世界的に見て、1980年代に世界を席巻した日本が、今や競争力が低下し、経済的に世界的な信用力を失い、大幅な円安に陥る事態にまでなってきました。まだ、世界三位の経済大国として過去の高度成長の日本神話が世界中で生きていて、その地位を保っている感はありますが、高齢化社会が進み、人口が減少し、硬直した制度下で競争力を失ってきている日本の神話がいつまで保てるのか、不安になるときもあります。

今、世界で最も安心して物を交換できる通貨は、米ドルではないでしょうか。その次は、ユーロやスイスフランといったところでしょうか。ポンドは、1990年代初頭、ヘッジファンドマネージャーのジョージ・ソロス[9]により英国中央銀行が陥落してから、国際的な基軸通貨としての地位を失いました。日本円も1980年代後半からは世界の基軸通貨の一つになる可能性があったのかもしれませんが、今やその面影もなくなり、海外のオークションでの競りの金額を示すボードに、米ドル、ユーロ、ポンド、人民元はあっても、日本円が出てくることは珍しくなってしまいました。

国の通貨を保有していても資産を保全できるとは限らないのです。インフレが進行するときは、金やダイヤモンド、絵画などの実物資産が法定通貨よりも評価されますし、国が経済的に危機に陥るときには、その国の通貨は暴落します。国の信用を通して、その国の法定通貨を使うことを国民とのコンセンサスとして成り立たせていても、法定通貨の価値が揺れ動くことに疑問を感じてしまうのも無理もありません。それであれば、通貨全体の取引をすべての人のコンセンサスが得られるような仕組みを作れば、安心してその通貨は単体として利用できます。

多数のネットワーク参加者が検証するコンセンサス・アルゴリズム

2008年、現在の通貨システムの脆弱性と現在の一方通行となっている資本主義の仕組みを改善するために、より安心して物の交換ができる仕組みを作る論文が発表されました。それが前述した謎の人物サトシ・ナカモトによるビットコインのホワイトペーパー「Bitcoin: A Peer-to-Peer Electronic Cash System」です。

この論文で提唱されたブロックチェーンは、コンセンサス・アルゴリズムという仕組みにより成り立っており、その通貨や取引が外部の何かによって保証される必要のないプログラムが発明されたのです。多数のネットワーク参加者が皆で検証し、合意を行う仕組みがコンセンサス・アルゴリズムなのです。

ビットコインという仮想通貨も、このコンセンサス・アルゴリズムの開発により、国の中央銀行の保証なしに、安心して取引ができるようになったのです。この考え方を世界が理解するまでには時間がかかりました。ビットコインが開発されてから数年後にようやくその意味のすごさに世界が気づき始め、ビットコインなどのコンセンサス・アルゴリズムによって成り立つ通貨の価値が法定通貨に対して上昇し始めました。裏を返せば、国の信用をバックにしている世界の法定通貨の価値が下がり始めたということになります。

こうしてビットコインは、今や40兆円を超える時価総額を持つ資産に成長し、デジタルゴールドとまで呼ばれるようになったのです。しかし、ビットコインはデジタルゴールドと呼ばれるだけあって、限りなく重い金（ゴールド）の延べ棒と同じく、使い勝手が悪いものでした。一方で、偽ドルができても金の偽物を作ることができないように、ビットコインのコンセンサス・アルゴリズムは偽ビットコインを作ることができない堅牢な仕組みを持っています。しかし、使い勝手が悪いという問題点もあり、別のコンセンサス・アルゴリズムを利用して、社会の中に実装しやすい暗号資産がどんどん出てきました。

イーサリアム、ポルカドット、コスモスのような、ただ単にその通貨を保有するというだけではなく、分散化された金融やEコマース、プライバシー、サイドチェーン[10]などのさまざまな機能の開発ができる暗号資産が生まれています。その中で、たくさんある暗号資産をつなぐ機能をつけて、暗号資産の世界をより機動的に動かしていこうとする「インターオペラビリティ」と呼ばれる相互運用性の開発も進み、暗号資産の世界はその可能性を大きく広げることとなりました。

相互に互換性を持つ運用が世界の新しい資本主義のインフラを担う

もし、ビットコインのような一つのブロックチェーンのみが支配する世の中になれば、結局はWeb2・0時代のGAFAMのように、少数の企業が商取引を支配することになってしまいます。しかし、さまざまな数多くのブロックチェーンが相互に互換性をもって運用されている世界は、分散化されたこれからの新しい資本主義の未来を示しているように思えます。

ブロックチェーンが世界経済の基盤となるインフラを担うようになるためには、インターオペラビリティだけでなく、「スケーラビリティ」と「プライバシー」という課題をクリアしなければなりません。

スケーラビリティとは、データ容量が増えたときにシステムがパンクしないよう、常に処理能力を拡張できる対応性を持っているということです。プライバシーにおいてはあらゆる記録がブロックチェーンに書き込まれたとき、顧客が別の顧客の情報を覗き見ることができないようにガードするシステムです。

この「プライバシー」は非常に難しい問題です。過去の取引の履歴が追えることがブロックチェーンの特徴です。トランザクションＩＤを覗けば、過去の取引を含めて、それがいくらで取引されたかまで見えてしまうので、そこのプライバシーをいかにコントロールしていくかという問題に突き当たります。その問題を克服するために生まれたＺキャッシュ[11]やホライゼン、ファラネットワークのような暗号資産もあるので、このようなブロックチェーン上で出てくるさまざまな課題は、一つ一つのプロジェクトとして解決されていくことになるのでしょう。

これからの時代は、プロジェクトごとに、そのプロジェクトのためだけの新しいコインを作る開発を進め、開発が成功したときにはインターオペラビリティで他の暗号資産とリンクしていく。このような新たな開発形態や運用の在り方が、２０５０年の世界経済のインフラを担うことになるのです。

イーサリアムが可能にする新しい社会

ブロックチェーンを利用した仮想通貨で、最も大きな暗号資産はビットコインですが、さまざまな取引を活発にして、最も普及しているといえるのは「イーサリアム」という暗号資産です。

イーサリアムは世界で2番に大きな暗号資産です。スマートコントラクトと呼ばれるさまざまな取引が可能になる仕組みを持っており、使い勝手の良い暗号資産で、イーサリアムをベースに多様なトークンやNFTも生まれてきています。このイーサリアムの仕組みを他の暗号資産でも利用できるようにつなぎこむ技術を「EVM[12]」と呼び、イーサリアムによるインターオペラビリティのネットワークが拡大しています。

EVMは、異なるブロックチェーンの中に書き込まれている演算式をイーサリアムのスマートコントラクトに取り込むことができる仕組みです。別の暗号資産のトランザクションをイーサリアムに引き継ぐことができる仕組みであると理解すれば、わかりやすいかもしれません。

これこそ、Web3の時代の特徴的な仕組みです。GAFAMのような独占的な企業に世界が支配されるのではなく、さまざまな機能を持つ暗号資産がそれぞれの機能を尊重してリンクし、相互に利用しあって社会のインフラを形成していくというものです。

これにより、これまでのような不必要なコストがなくなり、より効率的な開発が進むことになるのです。

コミュニティ型の企業体制こそ、Web3に望ましい

Web2・0の時代では、競争が激しく、競争に勝って敵を潰すか吸収するかという中で、独占的に支配する企業が生まれてきました。Microsoftにしろ Googleにしろ、本来はソフトを開発する小さな企業が競争に打ち勝ち、成功し、巨大企業に成長して世界を支配し、人間を支配するようになってしまったのです。

しかしブロックチェーンの世界では、より分散化された世界がそれぞれ連携しあっていく

世界の構築を目指しています。そしてその基本であり原点にあるのが、物々交換です。世界の若い天才エンジニアたちは、P2Pによる取引をネットで最も安心して効率的にできる仕組みを作ろうとしています。

分散化が進み、富も分散化され、分散化された社会が形成され、維持されます。

一つの企業がどんどん大きくなるのではなく、分散化されたプロジェクトが連携しながら、大きな集合体になっていく。まさにコミュニティ型の企業体制こそ、Web3の時代に望まれている形なのです。

ネット経済がブロックチェーンに置き換わる時代は案外早い

さて、現状のブロックチェーンにはまだまだ乗り越えなくてはならない課題があります。最も大きな問題の一つは、「ガス代」と呼ばれるトランザクションをブロックチェーンに書き込むための手数料をいかに少なくするかということです。

とくにイーサリアムはガス代が高いことで有名です。そのため現在、ガス代を低くするプロジェクトに自ら取り組んでいます。

ちなみに、イーサリアムの通信モデルは「Layer1」と呼ばれます。大元となるブロックチェーンプロトコルを提供し、さまざまなプロジェクトのための新たなトークンやNFTの基盤となっています。

また、仮想通貨の分散化取引所（DEX）のユニスワップも、イーサリアムをベースとしたERC20という規格[13]を利用したトークンを発行してプロジェクトを運営しています。そしてNFTもERC721やERC1155[14]といった規格でトークン化することで、唯一無二のNFTを作ることができます。それが現在、世界の数多くのNFTに使われています。

たとえば、暗号資産で仮想空間を作るディセントラランドやサンドボックス、エドバースもERC20を利用してトークンを発行しています。このため、イーサリアムの利用が増えればそれだけブロックチェーンが大きくなり、その取引に負荷がかかってくるため、これを処理する手数料が高くなります。現状は多くの企業がトランザクションのシステムに頼っています。これにより最も汎用性が高いイーサリアムでも、取引するたびにブロックがどんどん長くなっていく傾向にあり、これを保守するために「ガス代」という手数料がかかる仕組みになっているのです。

これを解消するため、バイナンス、ポルカドット、ソラナなど、イーサリアムとは異なるコンセンサス・アルゴリズムを開発してプロジェクトを推進する「Ｌａｙｅｒ１」の暗号資産も出てきています。

イーサリアム自身も２０２２年９月に実行されたアップグレードで、ブロックチェーンの認証方式をマイニングからステーキングに移行しました。イーサリアムのファウンダーの一人であるヴィタリック・ブテリン[15]は、イーサリアムのガス代を極小にし、スケーラビリティを拡大させ、トランザクションのプライバシーを改善させることを目論んでいます。

社会への実装を進めるために進化を続けるイーサリアムと、堅牢なブロックチェーンで安心して取引のできるビットコイン。ビットコインの時価総額は今、イーサリアムの倍以上あるのですが、進化を続けるイーサリアムの時価総額がビットコインを抜き去る可能性もあるかもしれません。

人類は歴史の中で、弓矢が銃になり、馬車が自動車になり、木造建築が鉄筋コンクリートになり……というように、技術革新により、あっという間に世界の形を変えていきました。Ｗｅｂ２のＧＡＦＡＭが支配するネット経済がブロックチェーンに置き換わる流れは、案外と早いかもしれません。

増殖し急拡大するメタバースの世界を想像してみよう

それでは「これからやってくるメタバース社会」とは、どのようなものになるのでしょうか?

メタバースの中では、ゲームやエンターテイメントだけでなく、ショッピングやエクササイズ、そして事業や仕事、コミュニティ内のコミュニケーションなど、通常私たちがリアルで過ごしているほとんどのことが可能になるはずです。仕事も効率化され、移動もないため、人が遊ぶ時間や人とコミュニケーションを取る時間に、私たちはより多くの時間を費やすことができるようになります。

メタバースでは、これまで以上に人間同士がコミュニケーションをとれる可能性が広がります。アバターで気軽に誰とでも話がしやすくなり、仕事を超えた趣味のコミュニティ活動、あるいはボランティアなどの社会的活動の可能性が拡大します。時間的な余裕が増えることで、多くの人は「収入をもらわない活動」をより多くすることになるでしょう。

その活動の多くは便利なメタバース内の時間で行われることが多くなるのではないかと思います。

しかし、現実の世界でも人間がその命を保っていくために必要なことが数多くありますし、メタバースでできないことはリアルな世界で楽しむことになります。

たとえば、家族とのスキンシップも必要です。また、肉体の維持に必要なこととしては、ご飯を食べること、健康維持のためにはスポーツや散歩、そして、ときにメタバースではなく、実際に世界中を旅するのも人生の楽しみの一つです。旅や遊びに関しては、メタバース空間とリアルな空間を使い分けて行うことになります。朝起きて、「さあ、今日はどこの世界に行こうか」とメタバース空間で場所を決め、そのあとでリアル空間で「今日は何で行こうかな？」といったような時代になるかもしれません。

「ネット空間」と「現実社会」を使い分ける将来の生活像

「今日の気分はキリンマンかな」と、首の長いキリン頭のモンスターのような姿のアバターを選択して、アフリカのメタバースを探し、サバンナ世界へ移動する。アフリカでキリンの気分を満喫したあと、1時間くらいして現実世界に戻ってくる。そして「午後の用事は何だっけ？」「そうだ、ブロードウェイでミュージカルのチケットをとっていたな！」と実際に飛行機でニューヨークへ飛んで、午後はミュージカルを楽しむ。

まるで夢物語を見ているようですが、現在でも私たちは、「ネット空間」と「リアル社会」を使い分けて生活しています。Netflix に Spotify に Disney+ に……と、ネット上のコンテンツは日増しに充実したものになっています。日本には Hulu もありますが、今は、コンテンツ的にはもうアメリカに敵わなくなってしまいました。アメリカだけではなく、日本は完全に遅れをとって中国や韓国にも追いつかない状況になっているのは、少しばかり寂しいところです。

とはいえ、このようなデバイスで楽しむ人たちを見て、リアルな時間を費やして、暇つぶしにパソコンやスマホにアクセスしているだけではないかと批判的に思う人もいるかもしれません。

しかし、スマホがなかった１９８０年代以前は、今よりもっとゆったりした時間を過ごしていたのでしょうか？　人がこんなにネットにアクセスすることなど、考えなかったわけです。今、電車に乗れば、ほとんどの乗客がスマホの画面を見て何かをやっているのを見かけます。昔は、電車の中では本や漫画を読んでいたものでした。テレビや新聞にしろ、誰かによって発信された情報を知ることが重要な時代でしたが、今は数ある情報の中から自分が何を見て聞くのかを決める時代となりました。

このようなライフスタイルの変化が20～30年で起こってしまったわけですが、実際にメタバースが出てきたら、あっという間に私たちのライフスタイルも変わっていくのだろうと思います。現在の開発状況を見ていると、メタバースを利用したライフスタイルの変化はものすごく急速に進んでいることがわかります。とはいえようやくゲームから、少しずつ普及し始めた段階に過ぎません。

今、メタバースの中にトークノミクスを組み込んで、経済活動のできる空間の開発が進んでいます。日進月歩でメタバース空間が進化していくと、私たち人間がメタバースの中で生きていくことに違和感がなくなる時期が、そう遠からずにくるに違いありません。

メタバースが目指す先は一つの経済圏を形成する世界

最近はニュースでもＣＭでも「メタバース」という名前を聞くことが多くなりました。またFacebookから名前を変更した「Meta」が、新しく売り出している「MetaQuest2」をメタバースの入口として期待している人も多いでしょう。

バーチャルリアルティや３Ｄの映像技術でメタバースに近づいていることは確かでしょうが、革新的な部分では真のメタバースとはまだ言えません。

というのは、これまでのほとんどのメタバースコンテンツは、メタバース空間を作り、アバターでその空間に入って空間の中でゲームをしたりすることはできるのですが、ショッピングなどのトークノミクスを組み込んだメタバースは今のところあまり見られません。

メタバースでその空間固有のトークンを発行し、一つの経済圏を形成する世界が、これからのメタバースの主流になっていきます。このようなトークノミクスで遊べるゲームをGameFi[16]（ゲーミファイ）と呼び、遊びながら稼ぐという新しいゲームの形をPlay-to-Earn[17]と呼んでいます。

Play-to-Earnのゲーム機能を持ったメタバース空間が現れると、これまでの資本主義の在り方も大きく変化する可能性があります。世界中の貧困に苦しむ子供たちがGameFi機能を実装している分散化取引所で、貧困生活から脱却できるチャンスを得ることができるのです。ゲームに参加する費用については、そのメタバース空間内のスカラーシップ（奨学金制度）を利用したり、すでにゲームに参加してお金を持っている人から、ゲームに参加するための道具やトークンを借り受けて、そこで仕事をしてトークンを稼ぐ。その上で、借りた相手には一部を謝礼として返しながらお金を稼ぐことができるのです。

ゲームを楽しみ、関係するすべての人にフェアにトークンが分配される仕組みが、アルゴリズムによって自動的にコントラクトの中に組み込まれています。そのため、参加しているすべての人たちがゲームを楽しみながらトークンを稼ぐことができるようになるのです。つまり、世界の貧困に苦しむ子供たちも、ゲームに参加しさえすれば貧困から脱却できるチャンスをものにすることができるのです。

遊びながら稼ぐ。ゲームで貧困から脱却できるチャンスも

先ほどお話ししたミャンマーでマイクロファイナンスの事業をしていた時のことです。ミャンマーの農村地帯では、数多くの家庭が牛や鶏を飼っていて自給自足生活をしています。お金を稼ぐ術があまりなく、貨幣経済の中で貧困生活をしているのを目の当たりにしました。しかし、そのような家庭の中でも、人々は太陽光発電で電力を得ていて、なぜかスマホも持っているのには驚かされました。お金がなくてもなんとかして手に入れたい必需品は、小型太陽光発電デバイスとスマホ。少し豊かになると、隙間だらけの木の板で作られた家の中から家庭の中にテレビをつけて楽しんでいる姿も見受けられました。

現代は、電気とスマホは必需品なのだなと感心したものでしたが、確かにミャンマーの郊外の農村地では電気が引かれていませんし、電話網も銀行のATMもありません。太陽光で電気を作り、お金の送金をして、電話連絡を取り合うために、スマホはそのような場所では必需品なわけですが、子供たちが親のスマホを少し借りて毎日お金を稼ぐようになったら、

親にとっても家計を助ける大事な活動になるはずです。

Play-to-Earn の GameFi が発達していけば、世界の貧困の格差が縮小していくはずです。このようなエコシステムをメタバース内に作っていく意義は今、大いに高まってきているのです。これまでのWeb2・0時代のネットゲームやソーシャルゲームから進化して、独自のトークンで Play-to-Earn の GameFi が実装され、ゲームの参加者のウォレットを直接メタバースのゲームの中につないで遊んで稼げる世界こそ、真のWeb3に対応した姿なのでしょう。

「フォートナイト」もトークノミクスを目指すのか？

現状、トークノミクスを実装してWeb3に最も近づいているのは、アメリカのエピックゲームという企業が、ワーナーブラザーズなどと協力して運営している人気ゲーム「フォートナイト」でしょう。日本でもファンの多いゲームですが、基本はゾンビなどのモンスターと戦うアクションゲームです。その中では参加者が自由に戦えるモードや、自由に世界そのものを作成できるクリエイティブモードなども用意されており、ゲーム内通貨を使ったやり取りもできるようになっています。

実際、アメリカの人気ラッパーであるトラヴィス・スコットがフォートナイト内の仮想空間でライブをしたり、日本でも米津玄師や星野源がイベントを行ったこともありました。

フォートナイトに関して、エピックゲームは「ゲーム内で仮想通貨を使用するものではない」と表明していますが、一方でNFTを使用する「Blankos Block Party」というゲームをすでに発表しています。日本版はまだできていませんが、おそらくは今後、トークノミクスの領域に踏み込んだフォーマットを続々と発表していくでしょう。

他にもゲームの世界ではNFTを利用したトークノミクスがすでに実現しています。たとえばシンガポールで日本人のチームが開発している「ジョブトライブス」というカードゲームは、イーサリアムのネットワークを使って好きな仕事を選び、実際に仮想通貨を稼げるような仕組みになっています。

しかし、まだまだ空間の質がリアルな世界とは程遠かったり、ゲームの内容も非常にシンプルであったりと、現在のステージは、まだGameFiの世界の単なる入り口に立っている状態です。質の高い3D空間とトークノミクスを実装したメタバースの世界は、これからますます開発が進み、無数のメタバースプロジェクトが私たちの前に現れてくることになるでしょう。

「エドバース（EDOVERSE）」で実現すること

私も携わっている「エドバース（EDOVERSE）[18]」についてお話ししましょう。

徳川宗家19代目の徳川家広さんを最高顧問に、メタバース空間内で当時そのままの江戸の街を再現するプロジェクトです。実際のゲームが立ち上がるのは2023年末の予定ですが、私たちは次のような目標を掲げています。

・現代に都市としての江戸が存在する仮想空間「エドバース」を作る
・日本文化・芸術への理解度を促進しつつ、貧困問題を解決するメタバースを実現する
・教育格差を解消し、貢献者への永続的な経済的価値を還元、コミュニティ全体でチャンスをシェアリングする

・ユーザーにとっての第二のふるさとを目指す
・NFTアートコレクションの取引を通じ、文化の発展に寄与しつつ、イノベーションを促進する

現在、エドバースは「開発プロジェクト・シーズン1」として、開発している仮想空間内の江戸城の周りの「土地」をNFTにして売りに出しています。江戸時代には、江戸城の周りに全国の藩の大名屋敷がひしめき合っていました。5メートル×10メートルの50平米の土地を1NFTに仕立てて売り出しているのです。

これらの「土地NFT」のオーナーになると、NFT土地の大名屋敷の共同保有者になります。各藩の大名屋敷を土地NFTの所有者でシェアリングするわけです。

最高顧問の徳川さんから助言をいただいてわかったのですが、江戸時代では、大名も参勤交代などでいろいろと物入りで商家からお金を借りたり、土地を切り売りしていたという実態もあったそうです。そして現代に江戸があったら、大名屋敷が数多くの地主にシェアされていてもおかしくないというお話をいただいて、土地NFTの売出しに自信を深めました。

また、現実空間と仮想空間を連携させてビジネスを展開していく「デジタルツイン」のた

めに土地NFTを確保し、エドバースの土地NFTを購入することで、エドバースの中でショールームを作ったり、ファッションを扱うショップを作ったりできます。また旅行やゲーム、音楽やアトラクションなどのエンターテイメントも楽しめます。さらに、レストランやカフェのようなコミュニケーションの場だったりと、Webサイトで行うようなEコマースで自社製品の販売をする、自社の専用イベントを開催するといったさまざまな用途を模索して土地の開発を進めています。

エドバース内で多様なビジネスを展開し、活動するパートナー企業を増やしながら、将来、エドバース内に入って来る数多くのユーザーが楽しい時間を過ごせる空間作りを目指しているのです。

「どこでもドア」が現実になる日も近い——デジタルツイン

2022年にメタバースという言葉が世の中に広まり、誰もがその単語を耳にするようになりました。エドバースだけではなく、今、メタバースを作る無数のプロジェクトが雨後の筍のように出てきてしのぎを削っています。近い将来、一つのモデルとなり、京都バースや縄文バース、戦国バース、あるいは海外でも北京バースやケニアバース、北極バース、南極バースと、あらゆる仮想空間が世の中に登場していくことになるでしょう。そうなると、まさにドラえもんの「どこでもドア」のように、私たちがメタバース空間の間でドアを開けるたびに、行きたい場所に行ける世界が実現する日も近いかもしれません。

もちろん、メタバースの「どこでもドア」を使って世界中を旅するのは楽しいことですが、リアル世界を旅することがなくなることはあり得ません。ショッピングをしたり、レストランに行ったり、娯楽施設に行ったり、リアルは私たち肉体を持つ人間には絶対必要です。ただ、リアルな旅は、エネルギー消費という観点から見れば、化石燃料を消費しすぎているように思います。全日空がユーグレナ社と組んで、植物や藻類などのバイオマスを原料として製造するバイオ燃料を作って飛行機を飛ばす計画もありますが、まだまだコスト高で実現していないようです。現在の飛行機の燃料消費量は異常なほど大きすぎるので、移動する機会をできるだけ減らすことは地球環境にとっても意味のあることだと思います。

私たち人間は、仮想空間で過ごす時間も楽しいですが、実際に現実の世界中を旅したいし、宇宙にも行きたい。仮想空間で楽しみながら、人類は技術革新を続けて、化石燃料に頼らない飛行機やロケットを運用できる新たな技術の開発を急いでもらいたいと思いますが、仮想空間と現実空間が切磋琢磨して、人間がさらに価値あるライフスタイルが送れるようになることが、人間の行き着くところになるでしょう。

コロナ禍では、経営者だけでなく各国の首脳までが移動を制限して、リモート会議を推進していました。このような時代になったため、リモートでテレビ会議に慣れてきているのは、いずれメタバースでの会議が一般化することになる前哨戦ともなっているように思います。メタバース内のより臨場感の高いミーティングは、間違いなく一般化することになると思います。

仮想のアートがリアルの感動を強化する

しかし果たして、メタバース内で時間を過ごすことをそれほど多くの人が許容するようになるのでしょうか?

ここで大切になるのは、いかにメタバース空間が楽しく、意味のある充実した時間を過ごせる場所になるかというところにかかってきます。世界中の人たちがスマホを見て過ごすようになったように、メタバースが本当にスマホのような生活の一部になるのか。これは、トークノミクスを組み込んだこれからのメタバースの開発にかかっています。

ゲームも楽しいものでなければヒットしませんが、使い勝手やＵＩ、ＵＸ[19]（ユーザーエクスペリエンス）のすべてが兼ね備えられていなければ、なかなか普及しません。となると、３Ｄ空間の作り込みも重要になります。無味乾燥な空間設計や文化性のない空間では誰も見向きもしません。

そこでアートが出てくることになります。空間の建築物から内装まで、すべてはアートのクオリティにかかることになります。

メタバースのアートの可能性は、リアルなアートの可能性を大きく打ち破ることになるでしょう。同時に、現実のアートの力を果たしてメタバースに移植できるのかという永遠の課題もあります。たとえば皆さんは、ゴッホの『ひまわり』の本物の作品を美術館で観たことがあるでしょうか？　作品からパワーが出てきて、巨大なキャンパスに絵具を叩きつけて描いたようなその画風が、情熱を飛び越えたある種の狂気のようなものを観る者に与え、鳥肌が立つほどの力で押し返されるほどの気力を感じます。ゴッホはひまわりを描くのが好きで、東京のＳＯＭＰＯ日本美術館やミュンヘン、ニューヨーク、フィラデルフィア、ロンドン、アムステルダムの美術館でも観ることができるので、機会があればその力を感じてみてください。

しかしそのゴッホの『ひまわり』をデジタル化してメタバースに組み込んでも、体が押し返されるような力を感じることができるでしょうか？　間違いなく油絵具とデジタル画質は異なるため、油絵の力強い筆のタッチがデジタルで表現できることはあり得ません。リアルな筆のタッチを表現するデジタル処理の技術はまだ発明されていません。いつの日かあの油絵の力強いエネルギーの謎が解き明かされ、デジタルの中で表現される時が来るのかもしれません。

近い将来、デジタル空間の中で、新たなアート表現が出てくるのは間違いなく、その表現は絵画では出しきれない力強いものである可能性を、これからのアーティストに期待したいと思います。

リアルとバーチャルそれぞれの表現に本物がある

加山又造[20]という日本画のアーティストがいます。20世紀後半の日本画界の代表的な作家で、メトロポリタン美術館の日本担当の主任学芸員から、「加山又造は江戸時代の琳派[21]の正当な継承者である」とまで言わしめた作家です。

彼が描いた代表作品に、京都にある天龍寺の雲龍図[22]があります。天龍寺の法堂の天井に大きな龍の図が描かれている作品です。法堂に上がって天井を見上げると、とぐろを巻いた龍の姿に圧倒されます。

そこで、私はこの雲龍図をデジタル空間に移植するにはどうすればいいかと考えました。3D空間クリエイターのMYO氏に相談して、その空間を表現してもらうことにしました。実際の天龍寺の静寂の中に天井から迫り来る龍が私たちを見据えているのに圧倒されるわけですが、3D空間の中に移管されたスペースの天井からは、まるで広大な宇宙空間から包み込まれるような龍の姿が迫ってきます。その鬼気迫る風貌は、リアルな龍の図に勝る表現でクリエイトされていました。

リアルとバーチャルは間違いなく違うものです。それぞれの表現に本物があるのです。ただ単にリアルな世界をそのまま仮想空間に移植するのでは、本物の力を失ってしまう。デジタルの新たな表現方法を組み込むことで、その作品にはデジタル空間の中で命が宿ります。

メタバース空間は、このような3D空間のための新たな空間表現の技術や手法によって、リアルな世界よりも力強く、壮大なエネルギーを私たちにもたらす可能性が出てきています。3D空間の美術館に行った人が感動し、本物の美術館にも足を運び、リアルとバーチャルの両方で異なる感動を体験することは、リアルな世界のアートへの感動を強化することになるのです。

メタバース時代にこそアートの価値は高まる

巨大なモニュメントを造り続ける現代アーティストとして、アメリカのジェフ・クーンズ[23]という芸術家がいます。彼が制作したステンレス製の巨大なウサギの彫刻には、100億円ものの値段がついたこともありました。

前述した映画『アートのお値段』で紹介されていますが、彼の作品にそれだけの値段がつくのは、ジェフ・クーンズ自身が世界のトップを走る現代アーティストであり、そのアートのコンセプトが評価されているからです。ですが、作品だけを見て、そのアートを説明することは簡単ではありません。彼は数多くの若いアーティストを使って自分のアート作品を製作する指示をするだけで、作品そのものを作る作業に自身の手を動かすことはあまりないと、自信を持ってインタビューに答えていました。

そうすると、本当にこの作品は1人のアーティストの作品と言えるのかと疑問に感じる人もいるかと思いますが、彼のコンセプトを彼の指示で実現することそのものがアートになっているのです。しかしその作品が庶民感覚から外れた高額で取引されることで、ある意味でアートそのものが〝敷居が高いもの〟になっているのも事実なのです。

ジェフ・クーンズの100億円もする作品の価値が将来上がるか下がるか、そのような話がニュースで出てきたときに話題になることもあるかと思いますが、実態としては、普通の

仮想通貨投資家のNFTへの期待

NFTへの抵抗感は?

53.2%
NFTを購入するよりも前から暗号資産（仮想通貨）の取引をしていた

2.7%
暗号資産（仮想通貨）の取引をしたことはない

4.1%
NFTを購入した後に暗号資産（仮想通貨）の取引をはじめた

40.0%
NFTを購入するために暗号資産（仮想通貨）の取引をはじめた

「NFTを購入前から暗号資産（仮想通貨）の取引をしていた」が半数。
仮想通貨に投資した人がいち早くNFTの情報をキャッチ。

調査：株式会社ゼロアクセル（2023年3月）

ファンジブルとノンファジブルの違い

オリジナルとコピー作品を区別できることにより、NFTはデジタルデータが固有であることを証明。一意性を担保し、価値も上がりやすくなる。

人には関係のない天上界の世界だと思います。

しかし、この100億円のアートを100円で1億個のトークンに分けて、トークンを数多くのジェフ・クーンズのファンでシェアすると、この作品の価値が将来どうなるかは非常に興味深いものになります。

たとえば、ジェフ・クーンズのこの作品の人気が高くなればなるほど、このトークンの価値は高まります。人気が出ればこのトークンを買いたい人がたくさん出てきて、トークンの値段が上がる可能性が出てきます。トークンの価格が200円となれば、この作品の価値は2倍の200億円になるのです。

人気の動向がトークン価格に反映され、アートの価値を後押しする

もしトークン化しなければ、この作品が何年かしてオークションに出品された時、その時のお金持ちたちがオークションに参加して、この作品を欲しい富裕層二人が落札価格を作ることになります。その価値が上がるか下がるかは時の運、ということになると思います。

作品をトークン化していれば、毎日のようにその作品の人気の動向がトークン価格に反映されることになるので、アートの価値が非常にわかりやすくなるはずです。

そして、その作品をNFTで紐づけて、作品そのものを正式にデジタル化したものをメタバース上の美術館に展示するとします。そこをトークンホールダーのコミュニティの場所とすれば、これまでのアートの価値を超えて、トークンを持っている人たちとの間でさまざまなコミュニケーションとイベントが可能になります。そして、メタバースによるシェアリング化は、アーティストが世に出る機会を増やしてくれることも確実です。

現状でアートの世界で成功するには、オークションに影響をおよぼす批評家やコレクター、あるいは画廊のオーナーなど、多くの専門家の目を通して評価されなければなりません。KAWSがTwitterを通して世界の人たちからの人気が高まり、世界中の人たちに知られるようになったように、メタバースの時代にはそのような専門家だけではなく、新しいメディアとしてメタバースを利用し、作家の認知が高まる可能性が高くなります。将来は、メタバースから世界に羽ばたくアーティストが出てくるのでしょう。

「ここにすごくクールなアートがあるぞ」と誰かが情報をシェアし、評判になっていくことで認知と価値がどんどん高まっていくのです。

もちろんすべての世界がそうであるように、ビジネスでもアートでも成功して世界の中で認められていくのは簡単ではなく、数少ない人のみが勝利の美酒を口にできるのです。同様に、すべてのアーティストが報われるわけではありません。数多くのアーティストの中から選ばれし者のみの作品が100年後も残っていくという道理は、現実社会でもメタバース社会が普及しても同じであるのも真実だと思います。

しかし、メタバースの普及がアートのさらなる普及と広がりを後押しすることは間違いなく、新たな価値の創造の可能性を予見しています。

---

1 サム・ウォルトン／世界最大の小売業であるウォルマートの創業者。大型店を中心とした田舎での出店や、ドミナント方式（チェーンストアが地域を絞って集中的に出店する経営戦略）をいち早く導入するなど、物流と情報を最大限に活かした効率的な経営で全米最大の小売業へ導いた。

2 ロスチャイルド家／ユダヤ系の金融資本一族。1760年代に銀行業を確立したことで隆盛を極めた。19世紀に起こった産業革命にも資金面で大きく貢献した。ワインブランドでも有名。

3 ゴールドマンサックス／1869年創業のアメリカの企業で、世界で最も伝統のある最大手の金融機関の一つ。

4　バークレイズ／ロンドンに本拠を置く世界的な総合金融グループ。300年を超える歴史を持ち、イギリス4大銀行の一つ。

5　S&P／世界の資本市場や商品市場、自動車市場において、信用格付やベンチマーク、分析、ワークフローソリューションを提供する企業。

6　テラ（UST）／韓国企業のTerraform Labsが発行している、アメリカドルの価格に連動した値動きをするステーブルコイン。

7　Three Arrows Capital（3AC）／2012年創設し、シンガポールを拠点としていた仮想通貨ヘッジファンド。2022年7月に破産した。

8　ユースケース／利用者があるシステムを用いて特定の目的を達するまでの流れのこと。

9　ジョージ・ソロス／ユダヤ人投資家。1930年生まれ。グローバル・マクロと呼ぶ手法を中心に大規模なヘッジファンド運用で財をなした。ポンドを売り続けたソロスとポンドを買い続けたイングランド銀行の攻防戦に勝ったことから、「イングランド銀行を潰した男」の異名を取る。

10　サイドチェーン／メインのブロックチェーンとは異なるブロックチェーン（オフチェーン）によってトランザクション（売買）を処理する技術。

11　Zキャッシュ／匿名性の高さを特徴とした仮想通貨。

12　EVM／イーサリアム仮想マシン（Ethereum Virtual Machine）のこと。イーサリアムがDApp（分散型アプリ）プラットフォームであるために必要な技術で、スマートコントラクト（ブロックチェーン上で契約を自動的に実行する仕組み）の実行や管理が可能になる。

13　ERC20／イーサリアムブロックチェーンとの互換性を持つ暗号資産を作るための共通規格。

14　ERC721・ERC1155／イーサリアム上で行われる開発やトークンなどの共通規格。

15 ヴィタリック・ブテリン／ロシア系カナダ人のプログラマー、起業家。1994年生まれ。19歳のときにイーサリアムを考案した。

16 GameFi／GameとFinanceが組み合わさった造語。ゲーム内で獲得した仮想通貨を出金して法定通貨に換金、もしくは獲得したNFTを売買することで、現実世界での利益とすることが可能なゲーム。

17 Pley-to-Earn／ゲームをしながら仮想通貨を稼ぐこと。P2Eと略すこともある。

18 エドバース(EDOVERSE)／日本発のメタバースプロジェクトの一つ。「EDOVERSE」内の江戸の土地を購入し、屋敷を建て、事業を営み、ユーザーはアバターとしてさまざまなゲームを楽しむことができる。

19 UX(ユーザーエクスペリエンス)／「User Experience」の略。ユーザーが商品やサービスから得られる体験。

20 加山又造／1927年生まれ。噴霧器やエアブラシなどを導入した水墨画にも取り組み、作風を大きく変えながら新しい時代の日本画を模索した。

21 琳派／「風神雷神図屏画」で有名な日本美術の流派の一つ。おもに江戸時代の京都と江戸を中心に広がった美術。鮮麗な色彩や金泥・銀泥を巧みに用いた装飾的な画風を特色とする。

22 天龍寺の雲龍図／明治期に活躍した画家鈴木松年による雲龍図が掲げられていたが、損傷が激しいことから1997年に加山又造によって新たに描かれた。どこから見ても睨まれているように見えることから、「八方睨みの龍」と呼ばれている。

23 ジェフ・クーンズ／1995年生まれ。ポップカルチャーを主題とし、バルーン・アニマルのような鏡面処理を施したステンレス製の彫刻作品が特徴。シミュレーショニズムと呼ばれるアート分野の代表格。

第4章

アートの未来

デジタルアートが変える
表現と経済

NFTがデジタルアートの価値を変えていく

今、現物のアートをトークン化するだけではなく、デジタルの世界で作る新たなアートの可能性も見えてきました。

コンピュータの発展の歴史と、コンピュータ・グラフィックスの歴史は重なります。1970年代からコンピュータ・グラフィックスという分野が生まれますが、これをアートと認知するのかテクノロジーと認知するかの境界線を引くことは非常に難しいと考えます。

河口洋一郎さんは、当時からコンピュータ・グラフィックスをアートとして、宇宙と地球の進化のプロセスを古代生物から5億年後の生物を通して見事に表現しています。その当時のデジタルアートから40年の月日を超えて、コンピュータの中で素晴らしい発展と進化を続けてきました。しかし、デジタルアートがコピーされやすいという要因もあると思いますが、なかなかアートの本流に位置されることはありませんでした。

ところがビットコインが生まれて11年後の2020年に、NFTがクローズアップされます。NFTは、ビットコインのように何個ものビットコインを売り買いして交換できるコインとは異なり、トークンそのものが世界で唯一無二を表します。これにより、デジタルアートに新たな希望が生まれました。なぜなら、デジタルアートがコピーされても本物の作品がどれかを判明させることが可能となったからです。

実はNFTを作る技術は、ブロックチェーンにおいて、それほど難しくありません。それはイーサリアムのブロックチェーンの中にある「ERC721」と「ERC1155」というNFTの規格のおかげです。これらのERCの規格に合わせてデータを作れば、イーサリアム上で使えるNFTを簡単に「ミント（Mint）生成」することができます。

NFT生成したNFTを送信するときに、イーサリアムのブロックチェーンに対しては費用が発生します。実は、この費用が取引の混雑状況やイーサリアムの価格によって上下し、高いことが一つの課題となっており、イーサリアムの敷居を高くする要因になっていました。一時期は、NFTをミントするだけで1万円もの費用がかかることもあったのです。それでは誰しも、気軽にNFTでアートを制作することはできません。

そこで、他の暗号資産でＮＦＴができる規格が生まれ、さまざまな暗号資産でＮＦＴが生成されるようになってきました。その結果、安く簡単に作れて、取引コストもあまりかからないソラナやポリゴンなどを利用するＮＦＴが生まれてきました。イーサリアムも現在ではアップグレードして、第２章で述べた「マイニング」から「ステーキング」へ移行し、これまでほどコストがかからない構造を構築しようとしています。

簡単に安くＮＦＴを作成できるようになれば、当然ながらクリエイターは、そちらを利用してデータを作るようになります。今後さらに技術が進化して、ＮＦＴが便利に安価に作れるようになるのは間違いありません。さまざまな暗号資産で生まれたＮＦＴもイーサリアムとブリッジできるＥＶＭが可能となる開発が進めば、どこでも取引することが可能となります。これにより、ブロックチェーンにおけるフォーマットの独占化は解消されていくことでしょう。

ＮＦＴアートの真の魅力とは？

誰にでも手軽に、コストがあまりかからずにＮＦＴが作成ができて、簡単に取引できるようになる。それがＮＦＴを普及させていく第一歩になるでしょう。今のところ、その動きはまだ第一段階ですが、ＮＦＴ市場はこれからも確実に拡大を続けていくと考えています。

現在、ＮＦＴの取引は、ほとんどＮＦＴのマーケットプレイスで行われています。その代表的なサイトが「オープンシー」[1]です。ここではイーサリアムをベースとしたＥＲＣ７２１やＥＲＣ１１５５をベースとしているＮＦＴを中心に取引されています。検索すればすぐに出てきます（https://opensea.io/）ので、アートやイラストや動画など、すでにたくさんの作品が販売されていることがわかるでしょう。

しかし、今後はさまざまなＮＦＴを取引できるプラットフォームが登場してくるはずです。技術はすでに確立していますので、あとはメタバースの普及度合いと並行して、ここ２、３

年のうちにさまざまな形でＮＦＴを取引する流れが一般化していくと思います。

では、アートそのものをつくる際の技術に関して、ＮＦＴによる市場は、どのように変化するのでしょうか。

たとえば、世の中にパソコンが登場したことで絵画や彫刻がなくなったかといえば、そんなことはありません。むしろ「グラフィックアート」や「動画」などの新しいデジタル作品が加わり、アートの世界はより発展してきました。

ＮＦＴの登場で、世の中がすべてＮＦＴに置き換わるわけではないと考えます。当然、これまでの実物資産としてのアート作品やバーチャル上のデジタルアート作品が、ＮＦＴに紐づいていくことになるだけでしょう。アート資産を安心して取引できるようになることで、アート作品の資産としての価値が安定的になることは間違いありません。

技術革新が生む「新たなアートの表現技法」

アートをつくり出す構成要素である材料のことを「メディアム（Medium）」と言います。

20世紀まで、その主力はキャンバスの上に描かれる際に利用する最も安定的な「絵の具」は油絵の具でした。20世紀後半になり、アクリル絵の具も使われるようになりましたが、ルネッサンス以降の絵画は油絵の具を利用することが主力でした。

油絵の具のほかに、水墨画で利用する墨、日本画で利用する岩絵の具、水彩画で利用される水彩絵の具、またコラージュではいろいろなものを切り貼りしたりします。

アート作品はあくまで自由な表現ですので、どんなメデイアムを使って作品を創作してもよいのです。その中で、油絵の具は安定的で、長期にわたり同じ状態を保つことができるので、アートの製作の主流のメディアムとして君臨しています。

彫刻作品は大理石であったり、木材や粘土や石膏であったり、鉄であったりと、さまざまなものがメディアムとして利用されますが、デジタルの時代になって「電気信号」という新しいメディアムがここに加わったわけです。

電気信号というメディアムから生まれたデジタルアートは、もう40年近くの歴史を持つことになります。しかし、アートの歴史の文脈に組み込まれていないのが実情です。世界のアートの歴史の中での位置づけは低い状況のままです。

そして、現在のデジタルアートは、既存のメディアムで作られたものをデジタル上にコピーするという形で、デジタル技術で再現したものの域を出てないものがほとんどです。絵画の表現以上にアートを表現するデジタル作品がこれからたくさん出てくることを期待したいと思いますが、この分野で大成功を収めた「イラストレーター」や「フォトショップ」というAdobeのソフトが、デジタルで絵の具の色を再現したり、3Dで立体化したり、画像を高度な撮影技術を使用することなく画面上で加工したりすることで、これまでの絵画の世界を凌駕できるのかは依然未知数です。

もちろん、こうしたデジタル化の技術革新によって、これから素晴らしいアートが続々と生まれることは確かで、ワクワクしてしまいます。しかし、アートの概念をデジタルの中に焼き直しただけでは面白くありません。デジタルから新しいアートの概念が生まれることを期待したいです。アナログでは困難であったことを、デジタルでやりやすくしただけのアートでは、アートとしての価値を見出すことはできません。キャンパスの絵の具を吹き直したり、何枚もの撮影を繰り返したりという手間を省くだけで、リアル世界で再現不可能なものをつくっているかといえば、必ずしもそうとは言えないのが現実なのです。

今、私たちに必要なものは、これまで現実の世界では表現されたことがない新たなアート表現であると思います。

AIとも連携する「新たなアート」の可能性は無限大

「アナログの再現」という限界を突破した「デジタル世界だからこそ成り立つアート」とは、一体どのようなものでしょうか？

それはある意味で、１９７０年代からチャレンジし続けている河口洋一郎さんの世界でもあります。古代の地球が生まれた頃に誕生した生命の動きを再現し、5億年後にも存在する可能性のある生物たちの美しい動きを表現した彼の「グロース」シリーズの作品は圧巻です。70年代後半から発表されたこれらの〝コンピュータ・アート〟から〝コンピュータ・グラフィックス〟という言葉と共に進化したアートに対して、これからさらなる進化のプロセスとして、人工知能、つまりＡＩや、ある種の特別なプログラミングを利用して、人間が思考できない作品が創作される可能性があります。昨今、私たちのライフスタイルに急激な影響を与え、激変させる可能性が出てきたChatGPTなどもその一つです。

たとえば、過去の人類の歴史をコンピュータに記憶させた上で、ＡＩに「世界がどういうものか」を表現してもらう。あるいは、画像を一切インプットせず、ドナルド・トランプ・アメリカ元大統領がツイッターで発言したことをすべてＡＩに読み込ませたうえで、ＡＩが判断する肖像画を描かせるというのも、面白いコンセプチュアルアートになる可能性があります。20世紀までに、油絵の具でつくるアートを人類が描き尽くし、パブロ・ピカソの登場で油絵表現はすべてやり尽くされたと言われたほどです。

新たな表現が生まれてこなくなった油絵の世界で、20世紀後半から、概念そのものをアートにしていく、コンセプチュアルアートが新しく登場したことで、コンテンポラリーアート[2]の世界が広がりました。しかし21世紀に入り、このコンセプチュアルアートも数多くのアーティストたちが作品をつくり、出尽くした感はあります。そして今は、ストリートに落書きをしたり、ＳＮＳでアートを表現したりとさまざまなアートがチャレンジされています。今後はデジタルアートにもその可能性が大いにあります。

デジタルアートの可能性は無限大に広がっています。デジタルの世界は、キャンバスや絵

おもなマーケットプレイスの紹介

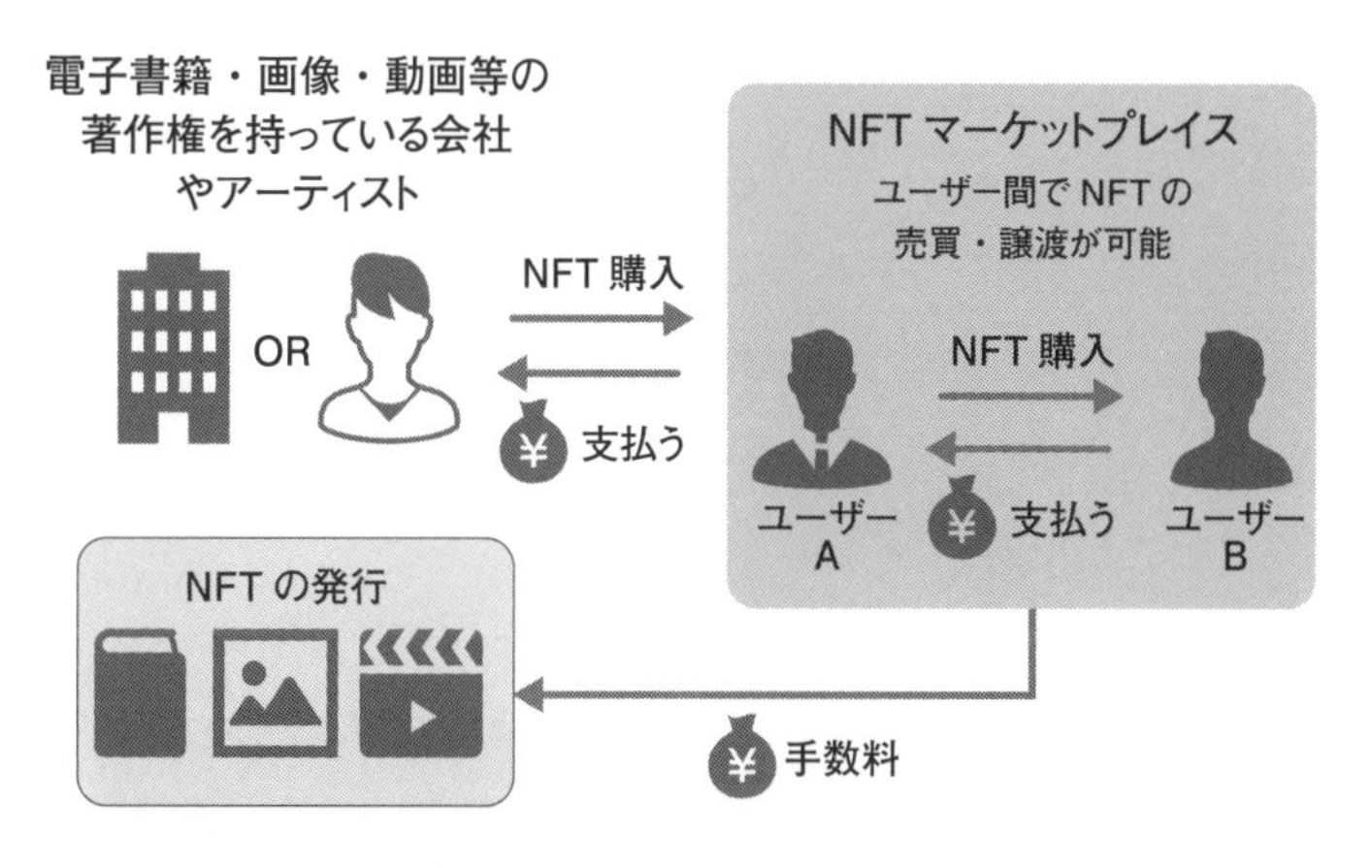

オープンシー
https://opensea.io/ja

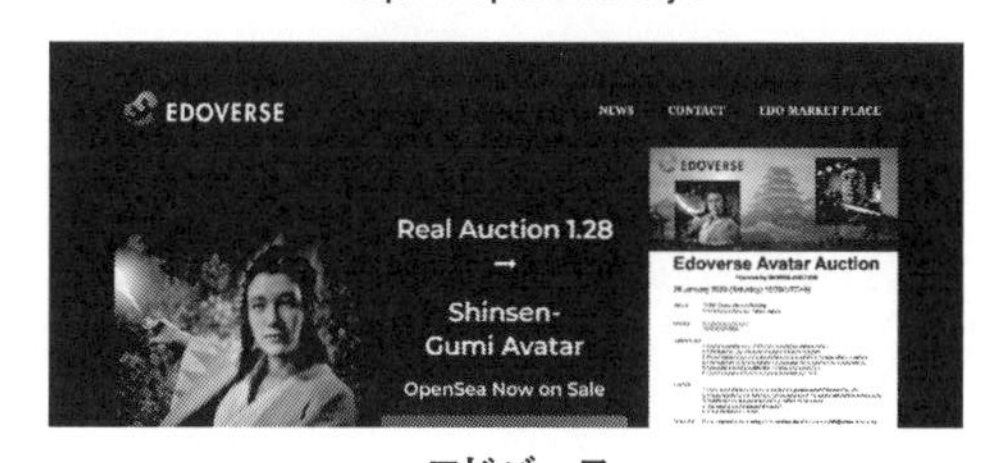

エドバース
https://edoverse.io/

画などのリアルなものに影響を受けることがありません。重力も空気も水もない世界でのアート表現です。もっと機械的に、とにかくアルゴリズムで計算をさせて、たくさんのアートの可能性をコンピュータに模索させることも行われています。

コンピュータが創造する無限のパターンの作品に当てはまらない、独自の作品を人間が創造できるか。この種の試みは、コンピュータ相手に将棋やチェスで勝てるかを争うのと似ていますが、すでにAIで可能なことは人間の創作能力にかなりのところまで追いついているのが事実でしょう。

コミュニティ会員となるためのNFTアートも生まれている

2022年は、ジェネラティブアートという分野も流行しました。基本的なデザインをコンピュータがさまざまな色やアイテムを組み合わせて行い、異なる数多くのアートをつくるというもので、これがNFTとなり、2022年には爆発的な販売額を記録しました。

その中で最も世の中の注目を浴びたのが、第1章でも紹介した「Bored Ape Yacht Club

（ＢＡＹＣ）」の猿たちです。ＢＡＹＣのＮＦＴは一時は５０００万円以上で取引され、２０２２年の半ば以降、暗号資産冬の時代と呼ばれる低迷期に入り、ＮＦＴの市場が暴落した状況においても、依然、最低価格が１５００万円程度で流通しています。

世の中ではこれをＮＦＴアートと呼んでいますが、実際には、ＢＡＹＣは「Bored Ape Yacht Club（退屈な類人猿のヨットクラブ）」と呼ばれる通り、それぞれ異なる唯一無二の猿のイラストを保有するお金持ちのコミュニティのための単なる会員証であり、チケットであるということなのです。ＢＡＹＣのＮＦＴを持つことで、暗号資産世界のセレブの一員である証しとなるため、自分のＢＡＹＣを一つ持っておくということに意味を感じ、なんでもない猿のＮＦＴに大金を支払うのです。ある意味では、エルメスのケリーバッグを持っているのと同じで、暗号資産のＮＦＴを利用した世界のブランド戦略の究極形となっているのです。

ＮＦＴアートに、そのような利用のされ方もあるというのは非常に勉強になります。人間はさまざまなレイヤーでコミュニティを形成し、その中で上層に位置するセレブの世界の心理を見事に突いています。

体全体で感じ脳みそを震わせる作品に期待

しかし、BAYCの猿のNFTが真のアートとして100年後も残っているものかどうかについては、決して楽観できるものではありません。あくまでもセレブの証明書であり、ハイソサエティのコミュニティに入るためのチケットであるということにとどまれば、一時的なものになってしまう可能性もあるわけです。逆にアートとして残る可能性もあります。

このようなコンセプトそのものをアートとして評価すると、100年後のメタバースの中の有名な美術館にそのBAYCが展示されて、数多くのコレクターやアート愛好家たちがこの美術館を訪れるようになるのかもしれません。コンセプチュアルアートとしてのBAYCはあり得るにしても、デジタルの世界でも、作品を観て、アートそのものが私たちの感性に迫ってくるような作品に出会いたいのが人間というものです。

そして現代アートといえば、コンセプチュアルアートとして、マウリツィオ・カテランの

『コメディアン』という作品があります。本物のバナナ一本を灰色のスコッチテープで壁に貼り付けてある作品ですが、このような作品がアートの世界の文脈にあるということを考えると、ＢＡＹＣの猿のデザインもアートとしての価値を議論すべきものなのかもしれません。また20世紀初頭に、便器に『泉』という作品名をつけて出展した巨匠マルセル・デュシャン[3]は有名です。壮絶な議論を呼んだこの作品も今やコンセプチュアルアートの原点的な存在として、アートの文脈にしっかり君臨するようになっています。

そんな多様性を持ったアートの世界なので、美しいだけではアートとしては存在しなくなってしまった現代、作品からアートを感じるのは非常に難しくなってきています。視覚だけで感動するのではなく、聴覚や体全体で感じて、そして脳みそを震わせるような作品が、アートとして人間の記憶と記録の中に残っていくのではないでしょうか。

「チームラボ」の成功に学ぶ

今、世界中で注目されている「チームラボ[4]」という会社があります。最新のテクノロジーを活用して驚くようなアートを次々と開発している企業で、施設を利用したプロジェクションマッピングが有名です。現実の風景にスマホ画面を重ねてメッセージを映し出したり、リアルな空間にデジタルで作ったオブジェクトを重ねたりと、その斬新な演出は来たるべきメタバース社会を彷彿させるものです。東京の豊洲や大阪の長居植物園のほか、海外ではシンガポールやシリコンバレーで表現され、演出された世界は、すでに日本を飛び越えて各国の人々を驚かせています。

チームラボは、アーティストやプログラマー、エンジニア、アニメーター、数学者、建築家など、さまざまな分野のスペシャリストを集めたフラットな企業です。当初は、大きな施設の中で参加者がデジタル作品を体験し楽しむ世界を、アートとして認めるかどうかの議論がなされました。しかし、チームラボを率いる猪子寿之氏は、あくまで自分の作品とそれを見る人たちとに境界線がない表現を作り出すことに価値があると述べ、作品を体験する空間全体をアートとして表現していると語っていました。デジタル作品でも壁に貼り付けて観る作品のことをアートと呼ばずに、ディスプレーと呼んでいたのは印象的でした。

チームラボの境界線のない、体験するアートは、これからのメタバースの時代に求められる一つの分野を超えた集合知によって、既存の常識を打ち破っていくのではないでしょうか。

これまでシェアリング・エコノミーの可能性については述べてきましたが、1人で観るという行為よりも、仲間と一緒に体験するという在り方もアートを感じる重要な要素で、ときに心に残るインパクトも強くなります。

とくに〝モノに執着しないZ世代〟は、その分、人とのつながりを重視する傾向があります。メタバースの時代はますます「コミュニティで何かを体験すること」が求められるようになります。「メタバース内の仮想空間で、NFTアートを共同で所有する」という行為も、まさにそんなニーズから生まれるものになるでしょう。

チームラボの作品は、今やアートの世界で一つの分野を確立し、人類のアート史の文脈の中に入り込んで、発展を遂げることとなりました。しかし現実的に大掛かりな箱としての施設が必要になり、実際の施設に画像を投影したり、大規模なスペースを借りて演出をしたりということは、やはり簡単にできることではありません。そこにメタバースの仮想空間が登場することで、より効率的な空間を提供することができる可能性を秘めているわけです。

これから大勢のアーティストが〝ちょっとした試み〟を仮想空間内でさまざまな作品をつ

くり、そこに協力者やファンのつながりができることで、「パワーを感じるアートの体験」はどんどん拡大、発展していくことになるでしょう。そうしたところから仮想空間内のアートの火が広まり、作品のレベルや創造性、また芸術性が大きく高まっていくことになるはずです。

ゴッホは、生前に自身の作品は1点しか売れなかったと言われています。作品は死後何年も経ってから発見され、評価を受けることとなりました。今、仮想空間で試みられるさまざまな表現も、今はアートの領域ではないと言われ、世の中の関心を受けることのない作品が、将来アートとして大きな評価を受け、時代のアートの中心的な存在になっていくのも、それほど遠い話ではないでしょう。

コピー技術は、20世紀後半に世の中を変えた革新的な技術の一つです。アートはコピー技術の進化形であるとも言えますが、技術の発展がほぼ完全に同じものを複製できるところまで発展してきたことは間違いないでしょう。

そもそも19世紀後半まで、世の中に存在するものを画像で伝えるには模写するしか方法がなく、完全な複製を作ることは不可能でした。

ところが写真が生まれ、一方では印刷技術が進化していき、やがて誰でもが普通の紙に画像をコピーできるようになりました。デジタル時代になるとより高度になり、画像などはいくらプロテクトをかけたところで、スクリーンショットを撮れば簡単に同じものを複製できてしまうわけです。

バンクシーのような「コピーもアート」の時代になる

そのような時代において、コピーの価値をどう測るかは、常に議論の対象になってきました。まったく同じものが大量に作られたとき、果たして複製には価値があるのか？　当然ながらオリジナルの価値をコピーが超えることはあり得ないですが、ほぼ同じもののわけです。であるなら、価値はどこにあるのか？「制作者が最初に作ったものがオリジナルであり、価値である」というのが正しい考え方ですが、コピー文化が進化した現在、オリジナルとコピーの見分けがつかなくなってきました。

事実、バンクシーのようなアーティストは「コピーもアート」という考え方であるのか、数多くのコピー作品を輩出しています。「現在の資本主義社会は、矛盾に満ち溢れている」ことに警鐘を鳴らし、世界中にステンシルで落書きをして、その図案をコピー作品として世に送り出していきます。コピーだから安く売って、誰にでも手に入るアートを世に送ったつもりが、いざバンクシーが有名になってしまうと、このコピー作品ですら価格が上がり、オークションで高額で取引されるようになります。結果、バンクシーの作品を販売していたオンギャラリーともいえるPOW（ピクチャーズ・オン・ウォールズ）を2017年に閉店してしまいました。バンクシー自身もこの矛盾した資本主義に取り込まれてしまったのを嫌ったのかもしれません。

資本主義のもとでは、競争力を持ち、資本を積み上げていく富裕層には、大きな責任と力が付与されます。お金を儲けるという行為が成功者への道を開くというシンプルな考え方で勝つためのゲームをし続け、イノベーションを起こすことは、真の人類の発展につながらないということをバンクシーは世界に問うています。

メタバースの世界は、アート作品に関しては、コピーされることを前提に考えられねばならないと思います。もちろんNFTのオリジナル作品と、スクリーンショットの画像では質がまったく異なります。基本的に完全にコピーされた図柄が唯一無二ではなく、何個もの同じ画像の存在が可能になるわけですが、その画像を作った作家の作品は、NFTによって世界で一つのものになるわけです。

結局のところ、オリジナルな価値が見出されるのです。たくさんのコピー画像があっても、オリジナルは世界で一つしかありません。その一つをＮＦＴにしていれば、その一つのものが一目瞭然に特定できるため、オリジナル作品としての価値が生まれるのです。

画像情報でコピーされたものを楽しむことは誰でも可能ですが、オリジナルである本物を持ってコレクションするという楽しみを味わう。ＮＦＴアートの時代は、間違いなく私たちのアートの楽しみ方を大きく変えることになります。

不朽の美術作品を「ＮＦＴアート化」する意味

もう一つ、ＮＦＴアートの可能性として大きいのは、文字通りそれ自体を「コピー」として活用することです。つまり、現に存在しているリアルなアート作品の「唯一完全なデジタルデータ」としてブロックチェーン上のＮＦＴにして、記録していくというものです。

これからは、そのようなデジタル情報による記録の重要性はますます高まっていくことになるでしょう。

ルーブル美術館や大英博物館、あるいは国立博物館など、国宝レベルの絵画を所蔵している施設にある作品の画像情報や作品情報を記録することは非常に重要です。レオナルド・ダ・ヴィンチやピカソなどの有名なアーティストの作品も同じで、専門家の手で現物を高解像度で再現できる詳細なデジタルデータを作成し、「唯一絶対のデジタルデータ」として管理する動きが出始めています。

アート作品が大きな美術館に所蔵されれば、決して失われることがない、などということはありません。戦争が起これば美術館も攻撃され略奪されるし、テロでは実際に、世界遺産級の遺跡が被害を受けています。しかしテロばかりでなく、近頃では、狂信的な環境保護団体が、歴史的な美術品を傷つけるようなことまで起こっています。

自然災害もあれば、火事が起こることもあります。日本でときどきニュースになりますが、海外では盗難事件が起こることもあります。盗まれた作品が、こっそりオークションにかけられることすらありました。

そして、作品そのものが経年劣化して原形が変化していくのも問題です。地球上の物質でつくられた作品は、ゆっくりと劣化が進んでいきます。とくに絵画などは、温度や光、空気中の酸素やカビ、細菌、虫など、さまざまな影響を日々受けています。この現実世界のすべてのものの寿命は決して永遠ではないのです。

デジタル情報となったアートを鑑賞する価値とは

しかし、電気さえあればデジタルデータは永遠です。デジタル情報により加工された画像に劣化など起こりようもありません。そしてそれが数多くのノードにそのブロックチェーンデータとして記録されていれば、画像情報が簡単に失われることもありません。

そのため、現物をデータ化することには価値があります。場合によっては、データの作品を人々が鑑賞するものにすることも可能です。ただしこの場合には、ただコピーしたデジタル画像と実際の本物とでは、私たちに与える力が明らかに異なるので、それをどのようにするのかはこれからの課題です。

地球上にある現物のアート作品をデジタル情報として残し、アーカイブとして保存していくことは、そのアートそのものを守ることにもなります。1万年後に現在の絵画作品がどのような姿になっているのかは想像がつきませんが、デジタル情報さえあれば、元の姿がどのような状態で、どのような色であったかがわかります。
デジタル情報から作り出されたアート作品をメタバース内に移植していくことも、楽しい頭の体操です。メタバースの中に美術館を作り、その中でデジタル情報となった作品を鑑賞する在り方が、私たちにとってどのような価値となるのか、興味深いところです。

写真アートもデジタル化で変わる価値

第1章でも紹介したように、写真のアート的価値も変わることでしょう。元々、写真によるアートは、ネガがあるので複製が可能であるということや、写真そのものを高品質のコピー機でコピーできることから、これまでそのオリジナル作品の価値が定まりませんでした。しかも、絵画作品に比べて価格も上がりにくいという状況がありました。

その中でも20世紀アートの文脈の中で、その制約を超え、写真として高い価値がついている作品もあります。それは、初期の写真技術を利用したシュールレアリズム[5]のマン・レイ[6]という人物の作品です。マン・レイの作品になぜ高い値段がつくかといえば、やはりマン・レイが20世紀のシュールレアリズムというアートの潮流の代表的な作家としてその時代を生き、その写真作品が人々の心を打つ絶対的な価値を持つからであるのは間違いありません。
　アメリカ人であったマン・レイはパリへ渡り、1930年代から1940年代にかけて活躍した作家です。マン・レイを展示する美術館のミュージアムショップでは、数多くの作品の当寸大のポスターやポストカード、アメニティグッズが売られていますが、それらの価値はあくまで、ミュージアムショップで売られるコピー作品の価格として売られていて、本物の作品の価値とは異なります。マン・レイがつくった作品に価値があるのであって、他人がネガをプリントしたところで、同じ作品にはなりません。すでにほとんどのプリントは焼けて劣化してきていますが、それでもマン・レイが作ったオリジナルだからこそ高い価値がついているのです。

　たとえば、写真が撮影されてから時間が経ったために、少し色褪せて焼けた状態になったマン・レイ作品を、今、デジタル化してNFTとともに再現すると仮定しましょう。その場合、誰によってその作品がデジタル化されるのかということが重要になります。なぜなら、実物の写真をただ単にコピーするだけでデジタル画像は生まれますが、デジタル化のやり方やさまざまな効果をつけることによって、より力のあるデジタル画像を作り出すことも可能だからです。

リアルな世界で生まれた作品をデジタル化する場合、元々のアーティストが作った作品の著作権はアーティストに帰属します。そして、その作品をデジタル化することにより、実際には、元々のアーティストの作品は〝デジタル化した作品〟としての位置付けになるのです。

ある意味で、メタバース空間で古いアルバムに残った写真のような状態で記録されるデジタル画像になるわけですが、その画像の価値は、元々の作品の価値に影響を受けるものの、実際には独自の価値が生まれることになります。

また、写真アートを時間の経過ごとにデジタル化して、NFTアートにすることも可能です。10年後、20年後、100年後、1000年後という形で、実際の作品をデジタル画像としてNFT化しておくことで、その作品の経年劣化のプロセスを知ることもできるため、貴重なデータとなります。NFTアートはこれにとどまらず、元々のアート作品とは異なる記録媒体としてその価値が見出されることとなります。

アートもNFTもこれからだ！

NFTで収益を得る3つの方法

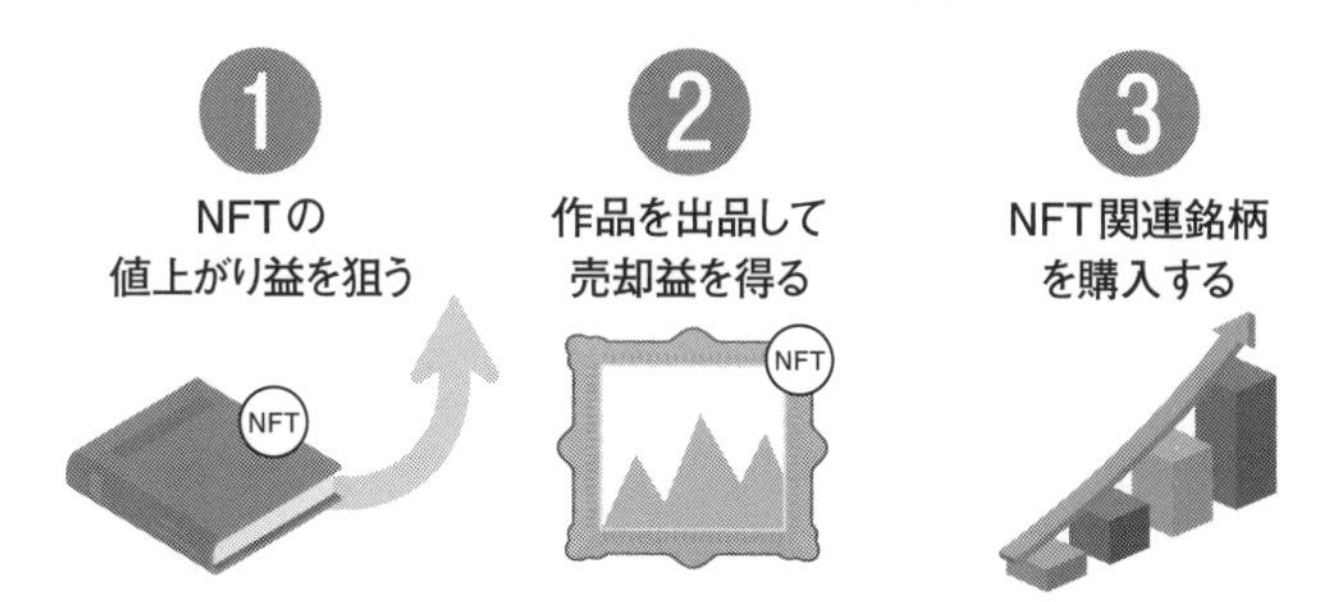

NFTは時間の経過で価値が変動。価格が上がったときマーケットプレイスで販売することで利益を得ることが可能。

「これからNFTを購入したいですか」?

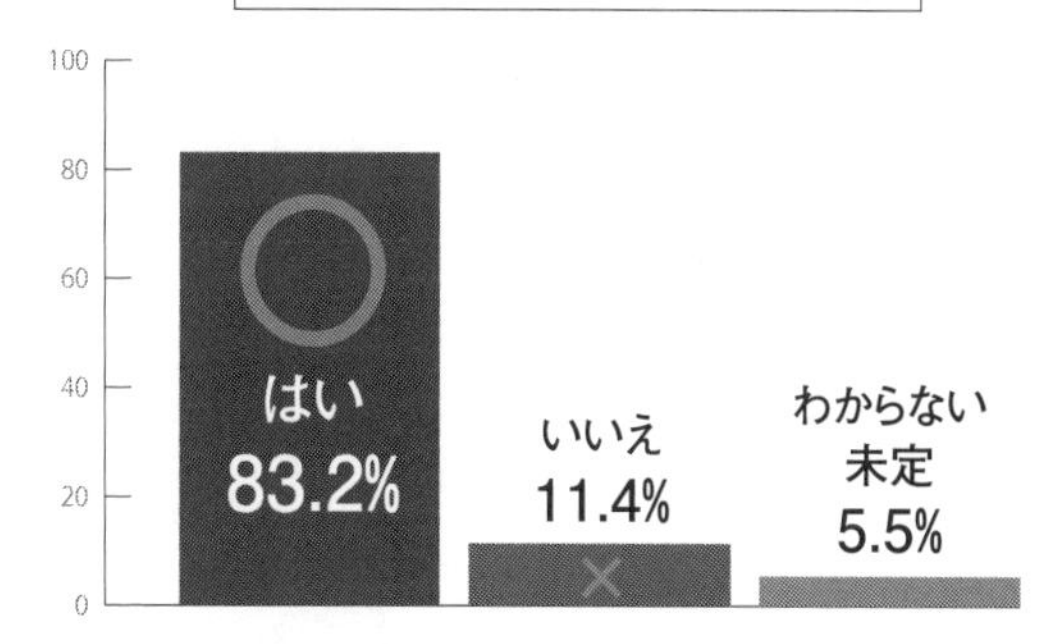

今後もNFTを購入を考えているが83.2%と大多数。アートだけでなく、さまざまなものに広まっていく。抵抗感がなくなり、NFT所有者は将来性に期待している人も多くいる。**アートもNFTもこれからだ！**

調査：株式会社ゼロアクセル（2023年3月）

暗号資産は本当に信用できるのか？

暗号資産は、よく投機的だとか価格変動が激しいとか誤解されがちです。確かに私自身も初めてビットコインを購入したときは２０１７年で、その時の１ビットコインの値段は、５万円から10万円でした。それから５年間、ドルや円に対して価格は乱高下して、今では３０0万円を超える金額になっています。一時期は７００万円ぐらいまで上昇したこともありましたが、これは果たしてビットコインの価値が投機的に上下しているということなのでしょうか。つまり、それだけ価格の変動が激しいのです。だからビットコインを買うのはギャンブルのようなもので、投機の対象にはなっても安定した通貨には使えないと考える人も多いわけです。

しかし、ビットコインサイドからの見方をすれば、ビットコイン自体の供給量は決まっていて、安定的で安心な取引ができる堅牢なコインです。逆に、法定通貨であるドルや円が乱高下しているとも考えられるわけです。現在の世界の国家体制や経済状態が不安定であるため、ビットコインが誕生してからの13年間、法定通貨の方が下落してきたという解釈もできるわけです。

アメリカでの近年のインフレによる物価の高騰も、ただ単なる金融政策や経済状態によるものではなく、ドルそのもの、ひいてはアメリカという国そのものに対する不安により生じている可能性もあるわけです。そのため裏を返すと、安心して保有できるビットコインの価格が上昇しているという結果になっているのではないでしょうか。

日本のビットコイナー（ビットコインを保有する愛好家）やビットコインマキシマリスト（ビットコインだけが世界で最も信頼できる通貨と信じている人たち）は、リアルな社会の中で、高齢化が進み、制度的な硬直化のもとで世界的な競争力を失っていている日本の将来を、懸念し憂いています。

日本円を保有し続けることに不安になっているだけでなく、世界の国家体制の中での覇権国家であるアメリカが、これまでのように世界のリーダーとして強い指導力を発揮して世界に安定的なバランスをもたらし続けることに関しても不安を持っています。アメリカファーストということを前面に出したトランプ政権から、世界中の国々が自国を優先する政策に転換し、世界が非常に不安定な状況となっていることにより、国家が創り出す紙幣に対する信頼が揺らいでいます。だからこそ、金やダイヤモンド、そして美術品などの実物資産を保有することに価値を見出すと共に、ビットコイナーやビットコインマキシマリストは、ビットコインを持つことの価値を信じているのです。

デジタルこそが偉大なる作品を普遍的な価値として維持する

そもそも現代社会においてアートに高い価値がつけられる理由には、国家の経済力に振り回される法定通貨とは異なり、才能を持った芸術家の仕事の価値が下がることはないと考えられているからです。

そこで「芸術家がつくり上げた普遍的な価値のある作品」である希少性と、「失われることも劣化することもない」という両面から、実物資産以上に劣化しないデジタル世界のNFTやNFTアートに高い価値が見出されることになりました。

しかし、現状においてまだ、このデジタル資産に対する世界の認知は低く、それが人類共有の資産であるという共通認識が形成されているわけではありません。物事の価値が社会的に定まっていくには本来、世の中の大勢が納得するコンセンサスが必要となります。

たとえばエドバースでは、現在の東京都を「江戸シティ」として、仮想空間に江戸の町を作り、その仮想空間の土地を今の皇居にあたる江戸城周辺からＮＦＴにして販売しています。実際の地図上で5メートル×10メートルの50平米、約15坪のエリアをイーサリアムのＥＲＣ７２１規格でＮＦＴにしています。１ＮＦＴの価格として約５５０ドルくらいで売り出しています。

これがリアルな世界の東京の有楽町や東京駅周辺の土地であれば、とてつもない地価がついていて、購入して所有するには莫大な金額が必要となります。

しかし、エドバースは仮想空間で、現在開発中の都市です。その土地のＮＦＴの価値は50平米で、まだ５５０ドル程度ということになるので手に入れやすい金額です。そしてこの土地のＮＦＴの上にさまざまな産業が興り、経済圏が生まれることになると、その仮想空間のルールが構築されます。現実の世界とは異なる新たな世界が構築されれば、実存するルールに縛られることなく、干渉されず、使い方は自由で、今のところは固定資産税もありません。

もちろん、仮想空間上の土地は、あくまで仮想空間にあって、現実の土地とは違います。今はまだ、実際に存在しない土地に、自分たちが住める土地と同等の価値を見出す人は少ないでしょう。

しかし、やがて仮想空間内の土地が、現実の土地よりも高い価値を持つ可能性があります。仮想空間の土地開発が進み、「現実社会よりも効率的な空間開発が進む」中で、「リアルな土地の価値が下がる」ことで、「エドバースの東京駅の価値と同じ場所の土地価値が逆転した」という記事が将来、新聞の一面に出るかもしれません。

同じようにＮＦＴアートも、本当の意味で一般化するのは、やはり仮想空間にしか存在しないものにそれだけの価値を認める人が主流になってからです。しかしいつか、ＮＦＴアートの価値が実物資産として、リアルな世界のアート作品以上の価値で評価される時代がくる。そして来るべき仮想空間のアートの可能性を期待したいと思います

「ジェネラティブアート」を越えたアートを作る

今後さらにＮＦＴアートの価値が上がっていくために、自由な仮想空間を利用して、これまでになかった表現をクリエイトするアーティストが育っていくことでしょう。すでに現在

でも、ネットからは毎日のように多くの成功者が生まれています。

インターネットが普及した初期の頃に、昨日までサラリーマンだった人間が、あっという間に〝ユーチューバー〟として多額の収入を得る世の中が来ると、誰が予想したでしょうか？　もちろん「誰もがネットを使えば成功できる」とは言いませんが、お小遣い程度の収入を得る方法であれば、ネット上でどんどん開発されているのが現実です。

そして「アーティストになる」という選択も、かつてと違ってその敷居はとても低くなりました。

「ジェネラティブアート」という言葉があります。これはコンピュータの計算式やプログラムによって作られたアートを意味します。

実際、スマホの撮影能力が進化したことによって、誰もがプロのような写真を撮れるようになり、凝った動画を撮れるようになりました。そんなふうにパソコンのソフトを使えば、芸術的センスがなくても、絵心がなくても、アートの勉強をすることがなくても、人を驚かすような作品がつくれてしまう時代になってきました。それがたまたま影響力のある人の目に留まって〝バズる〟ということになれば、ある日突然、天才的なアーティストとして注目されることになるかもしれません。

しかし、そんなふうに生まれたアーティストが、歴史に名を残すような芸術家になるかといえば、そうは簡単にはいかないでしょう。

一時的に人気が出ても一発屋の歌手と同じで、ブームが過ぎ去ってしまえばあっという間に皆の記憶から忘れ去られてしまいます。そもそも〝バズって売れる作品〟は、一部の人たちには喜ばれても、１００年以上もリアルな世界で有名であり続ける画家のように、皆が認知するアーティストにはなることはありません。

世界中で数多くのアーティストが増殖している中、今後１００年以上も人類の歴史にその名が刻まれることになるアーティストを見出せるのでしょうか？　答えは「イエス」です。

今、これまでの人類のアートの文脈に新たな文脈が現れ、新たなアーティストたちの歴史が刻まれようとしています。

18世紀から始まった近代資本主義が進化し、分散化された新たな資本主義のインフラ構築のプロセスの真っ只中で、デジタルアートという、これまでメインラインの中にいなかった作品がこれから躍り出てくる可能性を感じています。

先に述べたように、これまで人類にはなかった「体験」がメタバース世界における新たなアートのカギとなってきます。メタバースの中で、私たちの体と心を揺れ動かす素晴らしい体験をもたらしてくれるアート作品との出会いに期待したいと思います。

いかに「オタク」の世界を超えていくか

１９９０年代、スイスにアート好きな事業家夫妻がいました。天安門事件後に中国の経済開放政策の中で、自由にアートを表現して発表する中国人１１３人のアーティストたちの活動を支えると同時に、中国の経済成長を見込んで中国のアート作品のコレクションを始めました。21世紀に入り、これらアート作品の価値が飛躍的に上昇し、この夫妻のコレクションの資産価値は何百億円となりました。そして、このユーレンス夫妻は、これまでのコレクションを売却して、２００７年に北京で新たな芸術地区として有名になった７９８地区にＵＣＣＡ（ユーレンス現代美術センター）という美術館を作りました。

ある意味、コレクターには「オタク」的なところがあります。アートが好きで、ひたすら自分の好きなアート作品を集めてしまう私が初めて北京に行ったのは1992年だったと記憶します。その時の北京は今のような大きなビルや車の渋滞はなく、道路は人民服を着た人たちが自転車に乗って川のように走っているのが印象的でした。

そのような時代から、ユーレンス夫妻は、なぜ1990年代に中国のあれだけたくさんのコンテンポラリーアートをコレクションすることができたのでしょうか。

彼らのように自らのコレクションで大きな富を作り、その富で美術館を建てることができたスーパーコレクターもいますが、事業に成功した大富豪達の到達点の一つとして、自分のプライベート美術館を持つ人たちがいます。出光美術館、ポーラ美術館、大原美術館、足立美術館、山種美術館、ニトリの西洋美術館、名古屋の堀美術館など、日本国内でもプライベートミュージアムをあげたらきりがありません。

ごく最近では、ニューホライズンキャピタルの安東泰志社長が、藤田嗣治[7]だけの作品を展示する軽井沢安東美術館をオープンしましたが、アートの世界は〝究極的なアートコレクター〟によって支えられてきた経緯があります。

美術市場は、アートコレクターやアート愛好家だけでなく、ギャラリストやオークションハウス、さらには研究者や評論家、学芸員など、使命感を持ってアートの世界で仕事をしている人々に支えられています。

NFTアートの市場規模はこうなる

それに比べると、NFTアートというのはまだはじまったばかりで、このような大掛かりな市場を形成するための役者たちが揃っている状況ではありません。NFTアートの歴史は2021年から始まり、コンピュータを駆使したデジタルアートの歴史もたかだか1970年代から始まって、わずか50年の歴史しかありません。メタバースという言葉も、1992年にニール・スティーヴンスンのSF小説『スノウ・クラッシュ』で「meta」と「universe」を組み合わせた造語として初めて登場しました。そして、2003年にアメリカのリンデンラボ社による「セカンドライフ」[8]が、世界で初めて実現したメタバースと言えるかもしれません。

実際、ここ数十年の歴史しかない状況の中でまだまだ技術的なところばかりがクローズアップされてくるので、アートという領域での議論がしっかりなされていないのが事実です。

現実的には、今、NFTを購入しても、まだほんの一握りのマニアが自分のパソコンやスマホのウォレットで自分の購入したNFTアートを眺めて、幸せな自己満足に浸るというような〝オタク〟の世界で成り立っています。まだ、産業としてさまざまなプレイヤーが市場を形成するというような状況には至っていないのが現状です。

裏を返せば、まだこの程度の市場形成しかできていないので、これから整備して大きく拡大させていく余地は無限大にあります。そしてアートの可能性という意味では一長一短あるものの、実物資産よりもエコフレンドリーで効率的で自由な表現の可能性があるとなれば、リアルな世界のアートよりも、その可能性と市場規模ははるかに大きいと考えてよいのではないでしょうか。

NFTアート市場の功罪は、市場での価値がいきなりビープル[9]の70億円超えのNFTアートがオークションで落札され、注目を浴びたところまではよかったのですが、その後、非常に投機的なアイテムとして市場を席巻してしまい、値段や値動きばかりが語られるようになってしまったことです。それゆえ、アートとしての認識からかけ離れて行きました。

しかし、このNFTアートの可能性は、これからのシェアリング・エコノミーを容易に取り込める仕組みを持っていて、アートをそのコミュニティと共に長期的な価値の維持と向上を可能にする性格を持っています。

いつの日かサブカル的なオタク世界から、ＮＦＴアートが大きく羽ばたく日が来るはずです。その時には、これまでの誰かが独り占めしていく経済とは異なり、すべての人たちが気軽にメタバース空間の美術館に自分のコレクションを展示できるようになることでしょう。そして自分の保有している作品も一人で所有するのではなく、シェアリングすることによって、また、その作家や作品の大きなコミュニティを形成することによって、長期に渡ってアートの歴史の中に組み込まれていくことになるのだと思います。

いずれにしろ、ＮＦＴアートの世界や暗号資産を取り巻くブロックチェーンの世界は、まだ始まったばかりです。これからどのように新しいアートが生まれ、育っていくのか。私たちがそこから何を得て、どう参加していけるのか。今はワクワクしながら、未来に起こることを期待しましょう。そして来たるメタバースの中に入り込んでいく技術革新とアーティストの成長によって、世の中はますます楽しくなっていくことでしょう。それを楽しみに待つことにしたいと思います。

1 オープンシー／NFTの購入・出品・転売（二次流通）ができるプラットフォーム。世界でも1、2位を争う規模のNFTマーケットプレイス。

2 コンテンポラリーアート／現代美術のこと。20世紀後半の第二次世界大戦後の1950年以降から21世紀までの美術を指す。

3 マルセル・デュシャン／1887年フランス生まれの美術家。男性用便器に自分のサインを書き、『泉』というタイトルをつけて展覧会に出品したことで、「芸術とは何なのか?」というアートの根本的な問題を提起し、議論を巻き起こした。

4 チームラボ／2001年に創業した日本のデジタルコンテンツ制作会社。エンジニア、数学者、建築家、絵師、Webデザイナー、CGアニメーター、編集者など、デジタル社会のさまざまな分野の専門家で構成されている。

5 シュールレアリズム／超現実主義。「意識と無意識の混ざった状態」こそが本当の現実と考える思想。ダリ、マグリット、ミロなどが主要な画家としてあげられる。日本独自の省略形でシュールと呼称する場合もある。

6 マン・レイ／アメリカの芸術家。1890年生まれ。シュールレアリストとして、絵画やオブジェ、映画などジャンルを超えて活躍した。

7 藤田嗣治／日本生まれのフランスの画家・彫刻家。1886年生まれ。猫や女を多くモチーフに描いた。独自の「乳白色の肌」と呼ばれた裸婦像などは西洋画壇で絶賛を浴びた。

8 セカンドライフ／3DCGで構成されたインターネット上に存在する仮想世界。表現されたリアルな世界でアバターを作成し、他ユーザーとコミュニケーションを取ったり、ゲーム内で世界を観光できるといった、自由度の高さが特徴。また、仮想通貨「リンデンドル」による経済活動があり、現実の通貨と交換できる。

9　ビープル／アメリカのデジタルアーティスト。１９８１年生まれ。コラージュ作品「Everydays: the First 5000 Days」が６９００万ドルという値が付き、オンラインで取引されたアート作品として史上最高額のオークション価格を記録し、話題を呼んだ。

資本主義の変革途上の中で注目すべきアーティストたち

いつかはコレクションしたい20世紀の歴史に残るアーティストたち

近代資本主義が成熟した昨今、これから新しい資本主義に移行していく過程で、アーティストたちは未来を予見しながら、さまざまな作品をこの世に輩出してきています。その中で、私自身が出会ってきたアートの中から、注目しているアーティストを超私的な観点かもしれませんが、ご紹介いたします。

子供のころから美術館に通い、社会人になってからは世界の有名な美術館をはしごしました。2005年からは、趣味と実益を兼ねて、世界のアートフェアやオークションを渡り歩きました。数多くのアート作品を観て、その力を感じ、体を震わせ、感動してきたわけですが、その中でも自分がコレクションしたい作家や実際にコレクションしてきた作家、そしてこれからコレクションしたいと考えている注目する作家を紹介していきます。

まず、私が10億円以上のお金を出してでも買いたいアートです。このクラスの金額のアートとなると、ダ・ヴィンチから始まり、数多くの有名な作家たちの名前が頭を駆け巡ります。

それでも最初にコレクションするなら、シャイム・スーティン（1893〜1943）の風景画でしょう。

この作品とは、スイスのバーゼルのクンストミュージアムでスーティンの回顧展が開催されたときに出会いました。小さな風景が多次元に広がり明らかに空間が歪んでいて、作品の前に立つと、その世界の中に吸い込まれて、時間を忘れるほど立ち尽くした経験をしました。

アートバーゼルという世界最大級のアートフェアでは、大きな作品が幅をきかせている中で、あの小さな作品の中に広がる宇宙にアート作品の偉大さを改めて知ることとなりました。メタバース空間を作らなくても、油絵の具で描いた平面の世界にメタバースを超える多次元空間を描ききるとは、なんとすごい天才だろうと感動しました。

いつの日かシャイム・スーティンの作品を手に入れることができたら、本当に嬉しいことです。

次に、コレクションできればと思う作家を紹介します。有力な作品は主だった有名な美術館に収蔵されていて、価格的にもほぼコレクション不可能なアーティストになるでしょう。それが、フィンセント・ファン・ゴッホ（1853〜1890）と、ポール・ゴーギャン（184

8〜1903）です。

この二人は、お互いのアーティスト人生の中で縺れ合い、世界で偉大なアート作品が生まれる、美しくも、はかない人類の歴史上に残る永遠のドラマを生み出しました。ですから、これらの作品を自分の手に入れるのはおこがましいくらい「人類の宝」と言えるでしょう。いつの日かトークンによるシェアリングスキームが整ったときには、ぜひトークンを手に入れたい作家です。

そう考えると、シェアリング・エコノミーになったときに欲しいトークンは山ほどあります。クロード・モネ（1840〜1926）やピエール＝オーギュスト・ルノワール（1841〜1919）などの印象派の作家の作品や、アメディオ・クレメンテ・モジリアーニ（1884〜1920）などのエコール・ド・パリの作家、そしてサルバドール・ダリ（1904〜1989）やマックス・エルンスト（1891〜1976）などのシュールレアリズムの作家や、サイ・トゥオンブリー（1928〜2011）やロイ・リキテンスタイン（1923〜1997）などのアメリカのポップアーティスト、考えればキリがないほどの有名な作家のトークンが欲しいものです。

数少ない富裕層が競り上げてつける価格と、シェアリングによるトークンで世界中の愛好家がトークンをシェアする際につく価格はどちらが高くなるのか興味深いところですが、ピカソの『ゲルニカ』のトークンが出たら、間違いなく手に入れに行くと思います。

しかし、まだ私も欲深で、シャイム・スーティンの作品は、いつの日か自分のものにして、まずは自分の部屋でゆっくり楽しみたいという欲求から逃れられません。自分で楽しむ作品も、いつの日かシェアリングできるように遺言を書いて、世界中の人たちで楽しんでもらうのが正しい姿であると思います。

そして、コンテンポラリー・アートになりますが、スーティンのように、まずは自分の所有物にして楽しみたい作家は、ポール・デルヴォー（1897〜1994）、アントニー・ゴームリー（1950〜）、ウィリアム・ケントリッジ（1955〜）、ガブリエル・オロスコ（1962〜）などたくさんあって、自分の欲深さに呆れるばかりです。

実際にコレクションする21世紀のコンテンポラリー・アーティストたち

これまでコレクションしてきた作品には一つ一つの思い出があり、ストーリーがあります。すでにコレクションした作家の作品は、市場で他に出物が出てきたときには再度購入したくなる作家のものばかりです。また、これまでコレクションしてきた500点以上の作品を振り返ると、その存在を忘れてしまい、実はお蔵入りしているものも少なくありません。

ここでは、自分自身が身銭を切ってコレクションした作品のうちから、実際に自宅や事務所に飾って楽しんでいる、密かに注目し続けている作家を紹介いたします。

作品と作品を一緒に飾ると、その空間の中で静かな戦いが起こります。

どちらかの作品が勝利を収めて空間を支配すると、負けた作品は空間の中で色褪せて、その壁から外されて倉庫に向かう運命になります。時には戦い抜いて調和して、両方共に空間に生き残る作品たちもいます。これから紹介するのは、そのような空間を支配する戦いを生き抜いた作品の作家たちです。

日本人アーティスト

宮島達男（1957〜）

2005年に会社が上場した折に、ジュネーブの投資家を訪問した際、スイス人の投資家がスイス大学を指差して、「あの校舎の窓に光る数字はTatsuo Miyajimaだ」と自慢げに話していたのが忘れられません。空間の中であまりにカッコよく光り、0（ゼロ）のない数字の1から9までが繰り返し点滅する作品群。1728個のLEDが数字を表現する作品や、北京のユーレンス現代美術センターでの展示や韓国のリウム美術館の床など、さまざまな展示にはいつも感動します。メタバースにはとても〝ハマる〟作品群で、これからの仮想空間の世界でもアートの文脈を形成していくことになると思います。

田口行弘（1980〜）

ベルリン在住の田口さんの作品を観に、世界中を駆け巡ったことを思い出します。これまでビデオアートをコツコツと集めてきて、ときどきそれを観ては、アートとして完成したコマがコミカルに次々と進む楽しい時間を過ごしています。

名和晃平（1975〜）

２００7年くらいにどうしてもガラス玉に覆われているピクセルシリーズが欲しくなって、ガラス玉に囲まれた寿司のシリーズと金魚を手に入れましたが、いまは、寿司のシリーズが自宅の靴入れの上に小さく鎮座しています。

加藤 泉（1969〜）

２００7年のベネツィアビエンナーレで展示されていた作品に衝撃を受けました。一体、人間なのか何かわからない生物は、宇宙人らしいということを聞いたことがありますが、昔、神楽坂で開催されていたアグネスホテル・アートフェアのオープンと同時に走って小さな作品を手に入れたのが最初のコレクションになりました。未だに自分でもわからないのですが、日々、作品を取り巻く空間を支配して自己主張している強い作品だと思います。

菅木志雄（1944〜）

近年、京都のアートフェアで出会ったインスタレーション作品。木と鉄のミニマルな構成で会社の応接室に楚々と佇んでいますが、この作品一つだけで、応接室全体の空間に心地よい緊張感が漂っています。

土屋仁応（1977〜）

２００６年くらいに彼がまだ芸大の籔内佐斗司[1]教室で卒論を書いている頃に、作品が展示されていたギャラリー「成山画廊」でこの作家と出会いました。しなやかで美しい木彫の空想動物の目の中にクリスタルが埋め込まれていて、その目を見ていると別の空間に吸い込まれるような気持ちになります。自宅に飾ってある作品は、作家がまだ有名になっていないときに香港のサザビーズで出品されたものを落札しました。その時、２００人以上いる会場の中で手をあげたのが自分だけで、他の誰もパドルを上げず、エスティメート（落札見積価格）の下限で落札した時は、複雑な気持ちになりました。

松下真理子（1980〜）

２０２０年くらいに台北のアートフェアで衝撃的な出会いとなり、コレクションを開始しました。生死の境が見分けがつかない精神状態の中で見える世界を強い筆のタッチで描き切る本格派の作品で、20世紀以降のすべての女性作家を凌駕するパワーで迫ってきます。

ロッカクアヤコ（1982〜）

２００6年くらいからの出会いで、指を筆がわりに色彩豊かな作品を描き出します。社会の不条理な大人の世界に対抗する力のある表現で、観る者を魅了します。私の4番目の子供が小さかったときの姿をモチーフにした作品があり、家宝として一生我が家の壁に飾られることになるのですが、その子供も今年大学に行く年に成長して時間の流れを感じています。

海老原靖（1976〜）

我が家のベッドルームの壁には、作家の『誘惑』というラストシリーズが15年以上かかっています。ラスト、ノイズ、ビューティフルボーイズ、カルキンとすべての異なるシリーズの作品群のクオリティの高さは秀逸で、これまで中国から北米までのコレクターを惹きつけてきました。そろそろブレイクしてもいいころかと思います。

蜷川実花（1972〜）

映画『さくらん』のワンシーンで、土屋アンナが花魁の着物でポーズをしているエディションの作品。19世紀にジャポネスクと呼ばれる日本の影響を深く受けた印象派時代のクロード・モネの作品『ラ・ジャポネーズ』の構図を、現代の日本人の感性を通した豊かな色彩で完成度の高い作品に仕上がっています。

小西紀行（1980～）

明らかに人間を描いているのですが、その表現が単純化された筆致で描写されています。なぜか作品は不気味な雰囲気を醸し出していて、観る人に強烈な印象を与える強さを持っています。香港のアートフェアで購入したのを覚えています。

江本 創（1970～）

この作家の作品は、子供部屋に飾っていて子供たちが見るといつも目を輝かします。本物のドラゴンの標本のように仕立ててあって、学術的な名前までついているのです。その標本には、現代の片隅で見過ごされている幻の生物たちを研究して消息を絶った父親を探しながら、標本となるアート作品を作り続けているというストーリーがあります。部屋に入ってこの作品を初めて見る子供が、「これって本物？」と必ず大きな声を上げるのを見るのは楽しいものです。

小林正人（1957〜）

我が家の狭い廊下の突き当たりに、落ち着き場所を見出して久しい作品です。ギャラリーで初めて出会った時には、アルミホイルに青い絵の具でぐしゃぐしゃに描かれている模様に見えましたが、よくある女性のヌード像にも見える作品です。すべて常識を覆したアートですが、作品の力が強く、我が家の空間のヘソとなっている作品です。

杉山尚子（1955〜）

香港のアートフェアで購入したのは、観るすべての方向から調和を見出す幾何学のインスタレーション作品です。平面のキャンバス作品も抽象表現と幾何学表現を見事に調和させている中に筆のタッチで人間の入り込む余地を作り込み、作品全体に緻密な意図を感じる作品が、空間そのものの中に入り込んできます。

森村泰昌（1951〜）

自分自身を歴史上の有名な人物に擬して作品をつくります。作品はなぜかいつも楽しい様子です。三島由紀夫に扮したビデオ作品をバーゼルアートフェアで見た時の感動を忘れません。東大の中で制作したマリリン・モンローの作品も強烈で愉快極まりないのです。彼の作品を観るのが好きで、一点小さな写真作品を購入しました。

三島喜美代（1932〜）

陶器で作る空き缶や新聞など、陶芸作品として置いてあると、なぜゴミ箱がここに置いてあるのかと疑問に感じる間も無く、作家の作品であることがわかります。作品として置いておくと、必ず「これがアートか」という顔をする客の表情を見るのが楽しいものです。

原 高史（1968〜）

第一回シンガポールビエンナーレのシンガポールのシティホールを地域住民の声を書いたピンク色の窓で埋めるといった「サインズ・オブ・メモリー」プロジェクトを世界中で展開しています。窓の中に人間のさまざまな心理を絵に表現して、独自の世界を作り上げていきます。2007年からコレクションを開始して、我が家のリビングルームに長く存在感を示し、まったく飽きのこない力強い作品を作り出しています。

まだらまんじ（1988〜）

彫金の作家。ひたすら金属を叩き続けて、平面になるまで叩き続けて現れる模様を楽しみます。作家のひたむきな作品制作の姿勢から現れる模様に共感してコレクションを開始しました。作家が作る立方体の作品の強さは、どこの空間に置いても強い存在感を示しています。

江上越（1994〜）

シンプルで大胆な筆致で人の顔を表現するも、明らかに人の顔を超えたオリジナリティが見えます。さまざまな発想でアートの本質をえぐり出そうとする中で、自分のオリジナルな表現を貫いている女性作家です。

松山智一（1976〜）

なかなか手に入らない作家で、上海のウエストバンドのアートフェアでオープンと同時に走って手に入れた思い出の作品です。作家自身が作品について長時間に渡り詳細な説明をする内容にすっかり惚れてしまいます。ニューヨーク在住で精力的にアジアとアメリカを行き来しています。

小松美羽（1984〜）

天才プロデューサー高橋紀成が15年以上に渡ってプロデュースする作家。彼女もまた天才的で、明らかに普通の人には見えていないものが見える作家が、私たちが見えていないものを見えるものとして作品をつくっています。日本発で、日本に根付く霊的な力をアート作品として世界に知らしめるためのプロモーションの成果には目を見張ります。

坂本佳子（1968〜）

　仮想空間のようなリアルな風景の境界線に微妙な歪みが見える繊細な作品を作り続けています。実際に現実の世界にある構図の境界線が作品の中で揺れ動き、新たな空間の可能性を予見させる作品群です。人間の新たな視覚の在り方を作品に表現し、これからの新たなアートの可能性を暗示させます。

仮屋美紀（1973〜）

　ベニヤ板に絵の具で表現する作風は、物事を単純化した構図に独特の筆のタッチが秀逸です。キノコの中でキノコを食べようとする兎がいる可愛い構図に、木の板の木目と絵の具の筆のタッチの絶妙なバランスが作品そのものに強い力を付与しています。

ヤノベケンジ（1965〜）

１９９７年より、放射線感知服「アトムスーツ」を身にまといチェルノブイリを訪れる《アトムスーツ・プロジェクト》を敢行した作家が制作した、黄色い放射線防護服を身にまとったオヤジのフィギュアに惹かれてコレクションを決定しました。危険な世界の中で防御服を着る、なぜか愛らしい表情が可愛いです。

あるがせいじ（1968〜）

２００７年くらいに初めて作品を観たとき、あまりの美しさにコレクションを開始しました。作品一つ一つに小さな宇宙があり、いつ観ても飽きない作品が多いです。カッター１本で作り出す深い宇宙観で、観る人を魅了する作品です。

奥天昌樹（1985〜）

彼が学生の頃から付き合いがある本格的な抽象絵画の作家です。自分の明確なビジョンの中で、人間がつくり出す世界の偶然性を表現しています。形にならない奥天宇宙のメタバースから物質が生まれ、生物が形成され、意識が生まれてくることを思わせる混沌とした宇宙観に人間の力を超えた調和を生み出しています。

吉野もも（1988〜）

多摩美術大学の学生時代から応援している作家です。イギリスのロイヤルアカデミー留学の際には、ロンドンまで会いに行ったこともあります。古くから応援していますが、近年成長著しい作家です。視覚の錯覚を利用した描写で、絵画と空間の関係性を探求し、観る者や周りの環境と干渉し合うような作品をつくり出して私たちを楽しませてくれます。

石黒 昭（1974〜）

職人仕事としての「石を描く」という作業の習熟で、アート教育を受ける前にプロフェッショナルとして表現者としての道を確立し、まるで大理石に見える作品が実は手書きの作品であることに気づいて度肝を抜かれました。抽象絵画へ移行してより、08年の初個展以降、精力的に作品の発表を続けています。

木原千春（1979〜）

作品を制作してメルカリで売っているという話を聞いてびっくりして注目した作家です。個展をやるというので観に行った際に可能性を感じ、その場で作品を購入しました。特別な美術教育は受けず、独学で絵画制作をしています。生まれ育った山口の豊かな自然の中で身近に存在した動植物や昆虫などを描いています。その生きものたちの内側に存在する「生命力」を感じさせる作品で、これからの展開が楽しみな作家です。

そのほか、私が日本テレビのThe Art Houseという番組にオークショニアという立場でレギュラー出演した番組の中で、荻野夕奈、山口芳水、京森康平、丹野徹、山脇紘資、中村馨章、金理有、水谷イズル、名もなき実昌、池谷友秀、棚田康司、松本涼、悠などのアーティストが紹介されていますが、これからもさまざまな新しい天才アーティストたちの出会いを楽しみにしています。

アジア人アーティスト

ティン・リン

ミャンマーのプリズンアーティスト。政治犯として独房で7年過ごす中で、時には看守の目を盗み、時には看守を巻き込み、アートの制作を続けた作家です。作品には、無言の抵抗、不条理に対する怒り・抵抗、自由への渇望を、監獄の中で前向きに、なぜかコミカルにアート作品をつくり続けてきました。在ミャンマー英国大使と結婚したティン・リンは、イギリスやヨーロッパでは有名なアーティストです。

ロデル・タパヤ

フィリピンの島々にまつわるさまざまな神話を独特の筆致で描く、フィリピンを代表するコンテンポラリー・アーティストです。作品の中に引き込まれていきます。

アウンミン

ミャンマー旧軍事政権下でアートによる無言の抵抗を続けたアーティストです。母子の絆は軍事政権の束縛を超える強さを描く「マザー・アンド・チャイルド」シリーズは、グッゲンハイム美術館にも収蔵されています。

ルンジェ

ミャンマーの印象派と言われますが、実際には仏教思想のもとで、心の目で作品をつくる国民的な油絵作家です。

アフリカ・中東アーティスト

アボウディア（1983〜）

アフリカ大陸の作家アボウディアの作品と最初に出会ったのは、シンガポールのアートフェアでした。先進国の経済発展に出遅れたアフリカには、無限の可能性が秘められています。ATMや固定電話回線のないアフリカでは、最初からスマートフォンでのお金のやり取りや通信インフラがあったことで、世界で最もP2Pが近い環境が成立していました。そのため、ブロックチェーン・インフラの先進国になる可能性もあります。こうした中から出てくるアーティストは注目です。

シャイ・アズライ（1971〜）

イスラエル最北端のレバノン国境に近いキリヤット・シュモナで生まれたシャイ・アズライの作品を購入したのは、2013年の東京アートフェアでした。中東の香りのする色合いの中に、人や動物をモチーフにした作品で、立ち止まって見続けてしまう何かを感じてコレクションをしました。

欧米アーティスト

ジェイムス・タレル（1943〜）

光のアーティストとして知られるジェイムス・タレルの作品をどうしても欲しいと思っていました。自然光を利用する大掛かりなインスタレーションで、世界中の人たちを光で魅了する彼のホログラムの作品を見つけた時には心が躍りました。

ヴィック・ムニーズ（1961〜）

写真アーティストとしては世界的に有名なコンテンポラリー・アーティストの一人。ブラジルのゴミ処理場で暮らす人たちでアートを作る映画『ごみアートの奇跡』は、近代資本主義の大きな問題点に明るく前向きに取り組んでアートとして表現しています。ピクセルなどのさまざまなシリーズの作品がありますが、我が家のダイニングの壁はダイヤモンド・ディーシリーズのマリア・カラスが掛けられ続けています。

ピー・ラング（1974〜）

ベルリンのアートフェアで出会ったスイスのキネティック・アーティストです。機械仕掛けでさまざまな物質が動く様をアートに仕立てているあまりにも美しい作品です。強力な磁石がゆっくり捻転しながら空中を動く様に、宇宙の神秘を感じさせるコレクションです。しかし、設定が難しく、バランスを間違えると強力な磁石の挟み撃ちで怪我をしそうで、いずれ作家自身に調整してもらい飾るしかないと今は倉庫に眠っています。

注目のデジタルアーティスト（NFTアーティスト）

ジム・キャンベル（1956〜）

2005年にニューヨークで成功した日本人アートディーラーの真田一貫氏から紹介を受けて、人生で初めて本格的なデジタルアートの作品を購入しました。真田氏に「20年後、アートの本流はデジタルアートの時代になる」と、その当時ニューヨークで活躍する数名のデジタルアーティストを紹介していただき、当時の先端を走っていたジム・キャンベルを購入しました。素晴らしいアート作品でしたが、ニューヨークからの引き取りの際に紛失するという大失態をやらかしてしまいました。いつの日かこの作家の作品を改めてコレクションする日を楽しみにしています。

シャーリー・ショー（1971～）

この作家も真田一貫氏に紹介されたイスラエル国籍の作家で、当時のウィンドウズ・コンピュータを利用した作品です。木箱にするとなかなか大きな作品で、ニューヨークから東京に輸送するのに手間取りましたが、彼女の作品は無事に私のもとに届きましたので事務所に展示。コンピュータが起動して動画を作り始めた時は本格的なデジタルアートを手に入れて得意満面でしたが、ふと、コンピュータの寿命を考えると24時間作品をオン状態にすると消耗が激しいはずなので、日々飾るのをやめてしまい、たまに必要なときにだけ飾ることにしたのでした。

河口洋一郎（1952～）

1970年代からデジタルアートを作り続け、その先進的なコンピュータ・グラフィックスの映像を発表するたびに世界の学会の度肝をぬかせてきた元東大教授であり、コンピュータ・グラフィックス界のレジェンドとしての名声を世界で確立する作家です。現在も東大名誉教授という肩書を持つかたわら、アーティストとしての活動を精力的に行っています。また、自己組織化する『グロース・モデル Growth Model』で独自のアート&サイエンスの世界を確立した世界的CGアーティストです。5億年後の未来の生命体の創造をテーマに、3

ＤＣＧと共に肉筆画と立体造形作品にも取り組んでいます。２０２２年開催されたオークションでは2作品が、５２０万円と６６０万円で落札された実績を持ちます。コレクションした作品をたまにウォレットを開けて覗くと、あまりのクオリティの高さににんまりしてしまいます。

林 千歩（1988〜）

「ブレイク前夜」というテレビ番組があります。そこで紹介された作家の中から、ギャラリストの小山登美夫が選んだ36名を展示する展覧会が代官山で開催されていました。その中でドローイング作品とビデオ作品に唯一目が釘付けになりました。そこで、この作家の作品を初めて購入しました。それから直接お会いする機会があり、その素晴らしい感性に感嘆しました。この天才アーティストがこれからどのように成長していくのか楽しみです。

古賀勇人（1983〜）

２００８年村上隆氏のカイカイキキ主催の「GEISAIミュージアム#2」において、彼が森美術館理事長 森佳子審査員個人賞を受賞した時のことです。ブースに一人で立って、自分の作品の紹介をしており、その時にシンメトリーの都市の写真を気に入ったのがコレクションのきっかけです。元々、絵画や服飾による作品制作を行う中でデジタルカメラとの出会いが契機となったそうです。写真撮影を始めて、グラフィックソフトを学び、画像を反転させつなぎ合わせる方法に出会って以来、シンメトリーの作品を制作しているとのことです。近年ＮＦＴアートにも取り組み、自ら精力的に自分のアートを売り込んでいるとのこと。同じコンセプトで作品の作品のクオリティを年々高めているので、将来のさらなる進化が楽しみな作家です。

古賀 学（1972〜）

被写体とともに水中に潜り、その瞬間をとらえた複数の時間軸、区切られた空間、異なる尺度から成る多くのシリーズ作品を発表しています。水中写真で国際的に知られ、写真や映像などさまざまなメディアで作品を発表しています。作家の作品を初めて見たのは、一般社団法人日本アートテック協会がアートとテクノロジーの持つ可能性を最大化することを目的に行ったアートイベント「１００人１０」です。その時、作家のフィギュア作品に目が止まって、その後、作家のコレクションをすることになりました。ＮＦＴ作品も積極的に発表し、メタバース時代にフィットする作品の可能性のある作家です。

加納典明（1942～）

写真家の加納典明がアーティストに転向して、ペインティングや過去の写真を作品として発表することを始めています。1969年のニューヨーク時代の写真作品を観て、その写真のクオリティの高さに目を見張りました。当時のニューヨークに社会的に差別を受けていたLGBTを躊躇なくアートとして表現した加納典明の写真をNFTとしてセットとし、2022年にオークションに出品された作品は500万円の落札金額を叩き出しました。

ケッソン（ジョヴァンニ・ムツィオ）

イタリアのニューメディア／ビジュアル・アーティストでジェネレーティブ・アートやニューラルネットワークを多用し、ランダム性や偶然性が持つ予測不可能性と数学の秩序や美学が混ざり合い、詩的な幻覚を引き起こすような魅力的な作品です。東京で開催されたデジタルアートウィークで毎回作品を購入して自分のウォレットにしまってあります。

ザ・ジェイダーTHE JAYDERことジェシー・フランクリン（1982～）

自然や未来のテクノロジーを表現するキュビズムと、流れるようなラインを組み合わせた手法「ジェイダイズム」を発展させました。東京で活躍するアーティストで、彼のライブボディペインティング・アートイベントは、画期的なものとして期待されています。

まだコレクションしていませんが、ほかにチームラボの作品はいつか手に入れたいと考えています。他のデジタルアーティストやＮＦＴアーティストで注目しているのは、キナラ：デシ・ラ KINNARA: DESI LA／ウォレン・ウイー WARREN WEE／ハフィズ・カリム HAFIIZ KARIM／アナ・ナター ANNA NATTER／UFHO／ルバヒタム RUBAHITAM／ベノワ・レヴァ BENOIT LEVA／リニフィッシュ RINIIFISH／マイク・タイカ MIKE TYKA（USA）／FXAQ27／ルクムナル・ハキム RUKMUNAL HAKIM／ケファン４０４ KEFAN 404／アンディ・ヤン ANDY YANG／ラ・マノ・フリア LA MANO FRIA／タハ・ラザヴィ TAHA RAZAVI／カレズマッド KAREZMAD／オーラン ORLAN／ジャハン・ロー JAHAN LOH／エリサ・インスア ELISA INSUA／ジャスティン・リー JUSTIN LEE／モジョコ MOJOKO ことスティーブ・ロウラー Steve Lawler／イニフィッシュ INIIFISH ことウェイウェイ／咲 Saki など、数多くの可能性を秘めたアーティストたちがいます。この中からメタバースの世界に羽ばたくアーティストが出てくるかもしれません。

リアルな世界に美術館を作るなら誰の作品でキュレーションしたいか

リアルな美術館を作るには、まず成功者か元々の大富豪でなければ簡単にはできません。これまで数多くの美術館を見てきた中で、忘れられないのが、瀬戸内海の豊島（てしま）という小さな島にある豊島美術館です。ミシュラン3つ星のレストランは、その店にご飯を食べにいく目的だけで飛行機に乗ってでもいく価値のあるレストランだと聞いたことがありますが、豊島美術館は、一つの作品を観るためだけに世界中のどこからでも旅をして来る価値のある美術館だと思いました。

瀬戸内海を臨む小高い丘に建設されたアーティスト・内藤礼と建築家・西沢立衛による豊島美術館にある作品は、美術館そのもの。アーティストは内藤礼一人の美術館です。西沢立衛による水滴のような形をした建物で空間に柱が1本もないコンクリート・シェル構造です。天井にある2箇所の開口部から、周囲の風、音、光を内部に直接取り込み、自然と建物が呼応する有機的な空間となっています。内部空間で、一日を通して「泉」が誕生する風景は、季節の移り変わりや時間の流れとともに、無限の表情を伝える素晴らしい空間が作り出されていて、一日中、寝っ転がっていたい空間です。

豊島に、もう一つ素晴らしい作品があります。クリチャン・ボルタンスキー[2]の「心臓音のアーカイブ」です。人々が生きた証として、心臓音を収集するプロジェクトを2008年から展開していて、そこの建物の中でランダムに選ばれた心臓音鼓動に合わせて光る電球の点滅と心臓音に感動するとともに厳かな気持ちになります。

もし美術館を作るならこんな美術館を作りたい。ただ作品を並べるだけの美術館も面白いけれども、この二つの作品だけで、豊島に何回でも訪れたくなる。メタバース上で作られる美術館もこんな体験のできる美術館が増えるといいなと夢描いています。

メタバースに美術館を作る

今、私が関わっているエドバースプロジェクトのメタバース空間の中で、美術館を作るプロジェクトに携わっています。メタバース空間で、これからの美術館の姿をクリエイトしていきたいと考えています。

東京にある森美術館の元館長である南條史生氏とエドバースの話をしたとき、仮想空間は、建築基準もない、重力もない、すべての現実世界の制約を超えた新しい美術館ができることに眼を輝かしておられたのが印象的でした。エドバースの中の美術館を自由に作り出していくのはこれからまだ何年も先のことかもしれませんが、少なくとも、これまでの現実の美術館の考え方を超えた美術館作りにワクワクしています。

これらの美術館では、Ｗｅｂ３対応として、Ｐ２Ｐで自分のウォレットを直接美術館のウォレットにつなぎ、スマートコントラクトで作品のＮＦＴが購入できる第一歩となります。これができると、すべてのコレクターが簡単に私設美術館を開設する道を開くことになります。リアルな美術館を作るための資金と時間を大幅に省いて、自分だけの美術館をすべての人に観てもらえる機会を持てるようになるのです。

私ならまずは手始めに浮世絵の美術館を作り、そのあとは日本画の加山又造美術館を作ってみたいと思います。加山又造は、メトロポリタン美術館の日本担当の主任であるジョン・カーペンター氏より、これまでのメトロポリタンの日本のアート史は江戸の琳派、狩野派で切れてしまって、明治以降の研究が進んでいないが、加山又造こそ現代の琳派の正当な継承者として日本のアート史の中に刻み込んでいく旨の発言を聞きました。これがきっかけで、現代に江戸の町を作るエドバースとして、加山又造こそ、江戸時代とエドバースをつなぐ重要なアーティストであり、仮想空間の可能性を追求する第一歩にしたいと考えています。

これから始まる新たな資本主義の中では、GAFAMのように誰かが情報を占有するような状況から、それぞれの主体が直接ウォレットをつなげてスマートコントラクトによって経済活動を推進していくことになります。金融システムが大幅に単純化されていくと同時に、一つのメタバース空間が大きくなって世界を占有していくのではなく、エドバースのような仮想空間が数多く分散化され、その仮想空間同士がブリッジされ、お互いが行き来できるようになっていく。私たちに必要なさまざまな機能がそれぞれの異なる機能を持つプロジェクトで実行されていく。そんな、マルチバース経済圏の開発に向けてまっしぐらに進んでいます。

人生にメタバースを取り込んで、より持続可能な社会を形成し、個人個人ひとりひとりが、より充実した生活を送ることができることを夢見て、日々を送りたいと思います。アート＝「人間が作ったもの」「生き方」＝人生ですから。

1　籔内佐斗司／日本の彫刻家。1953年生まれ。平城遷都1300年祭の公式マスコットキャラクター「せんとくん」を生み出したことで知られる。

2　クリチャン・ボルタンスキー／20世紀を代表するフランスの彫刻家・画家。2021年7月没。「生と死」「記憶」をテーマとし、さまざまなメディアを通して表現した作品を残している。

おわりに

間違いなく近い将来、現在の資本主義とは異なる資本主義の形が出来上がると確信しています。その中にメタバースの世界が経済活動として組み込まれ、ブロックチェーンをベースとしたインフラが私たちのインフラの中に組み込まれて、Ｗｅｂ３と言われるＰ２Ｐのスマートコントラクトによる商決済もある程度定着しているはずです。

しかし、Ｗｅｂ３自体の認知度が低く、メタバース自体もその実現性に疑問を呈しているのが大勢です。

実際に、Ｗｅｂ３といえば、まだまだエンジニアが操作するレベルで、一般の人たちが気軽に利用できる状況にはなっていません。

コンピュータの進歩の歴史を紐解いてみると、１９８０年代にＩＢＭが箱型のパーソナルコンピュータを売り出したくらいの段階です。携帯電話の歴史を見れば、まだ１９９０年代初頭の折りたたみ携帯が出てきたころの段階ではないかと思います。私たちが使いやすいブロックチェーンを実装することで、インフラはこれからの10年で飛躍的に進歩し、メタバース空間もこれからの10年で驚くべき進歩を見せてくれるでしょう。ひょっとしたら2050年にはメタバースやWeb3が、皆さんの普通の生活の一部になっていることと思います。

その中で、アートが果たす役割は非常に大きいものであることは間違いありません。デザインシンキングという考え方で、UIやUXを組み立て、ユーザーが使いやすく楽しく操作できるようになるためには、アートの力がなければ成り立ちません。

現在は夢のような話が語られていますが、それを現実にするには時間がかかります。今、産業が興ろうとしているこのアーリーステージに、決意を固めて新たに参入しようとする人たちには無限の可能性があります。

しかし、自分自身もエドバースというメタバースにかかわり、Web3にどっぷり浸かっていますが、これからこの業界（Web3やメタバース）に入ってくる人たちのためにスクールを開校して、この業界の幅を広げるための実践的な人材の育成にあたる活動も開始しました。

本書を通じて一人でも多くの人たちが、アートとWeb3に関わる未来に理解を深めていただければ幸甚です。

最後に、この書を出版するのにご尽力いただきました、ジョルダンの佐藤俊和社長、悟空出版の井上佳国さん、ランカクリエイティブパートナーズの渡辺智也さんに心から感謝を申し上げます。

筆者しるす

倉田陽一郎（くらた・よういちろう）
1965年生まれ。三重県生まれ。1987年東京大学経済学部卒業。外資系金融機関（merchant bank）を経て、投資顧問会社創業。1998年、金融危機の際に金融担当大臣（当時、柳澤伯夫さん）秘書官として日本の金融システム再生に参画。2001年よりアートオークション会社 シンワアートオークション株式会社代表取締役社長に就任してアートに専念。日本初アートオークション会社の株式上場を主導。オークション会社経営22年。2017年ブロックチェーン技術を学び、マイニング、ステーキング等の関連事業を立ち上る。2021年よりNFTアートの販売を開始。2022年より江戸バースプロジェクトにかかわる。日本テレビのアート番組The Art House にオークショニアとして、レギュラー出演。アートコレクター。ワインコレクター

アートが変える社会と経済
AI、NFT、メタバース時代のビジネスと投資の未来

2023年6月30日　　初版第一刷発行

著者　倉田陽一郎
編集人　井上佳国
ネクスト・カルチャー・メディア編集部
https://nextculturemedia.net
問合せ　goku@goku-books.jp
発行人　佐藤俊和
発行／発売　株式会社悟空出版
〒160-0022 東京都新宿区新宿2-5-10
https://www.goku-books.jp
電話　03-5369-4063
FAX　03-5369-4065
企画協力　ランカクリエイティブパートナーズ株式会社
ブックデザイン　秦 浩司
編集／本文DTP・校正　株式会社ツークンフト・ワークス
印刷・製本　中央精版印刷株式会社

ISBN 978-4-908117-83-1　C0033